国家出版基金项目
NATIONAL PUBLICATION FOUNDATION

《三联经典文库》

第二辑

2012 年国家出版基金项目

三联经典文库

102

游击战术纲要

陶剑青　编著

生活·讀書·新知　三联书店

图书在版编目(CIP)数据

游击战术纲要 / 陶剑青编著. -- 北京 : 生活·读书·新知三联书店, 2014.1
（三联经典文库第二辑）
ISBN 978-7-108-04640-6

Ⅰ. ①游… Ⅱ. ①陶… Ⅲ. ①抗日战争－游击战－战术－研究－中国 Ⅳ. ①E297.3

中国版本图书馆CIP数据核字(2013)第246687号

102 游击战术纲要

责任编辑 卢 莹
封扉设计 蔡立国
责任印制 徐 方
出版发行 生活·讀書·新知 三联书店
(北京市东城区美术馆东街22号)
邮 编 100010
经 销 新华书店
印 刷 北京市松源印刷有限公司
版 次 2014年1月北京第1版 2014年1月北京第1次印刷
开 本 787毫米×1092毫米 1/32 印张 10.25
字 数 141千字
定 价 38.00元

《三联经典文库》出版缘起

适逢生活·读书·新知三联书店八十华诞，为弘扬传统，接续文脉，回报读者，服务社会，我们决定策划出版《三联经典文库》。

1932年7月，生活书店在上海创办，此后，读书出版社和新知书店相继成立。本文库第一辑、第二辑所选图书，来自于这三家出版单位及其分支机构，以及1948年生活·读书·新知三联书店成立后的出版物，始于1932年，截至1951年，两辑各一百种。此为第二辑，涉及政治、经济、社会、军事、思想文化诸领域，涵盖专著、文集、散文、小说、诗歌、传记、报道等体裁，既有直面现实、追求真理、讴歌真善美、抨击假恶丑的原创作品，又有引介世界各国先进文化、传播新知、开启民智的迻译之作，真实记录了那一代知识分子的思考与探索、理想与愿景和对中华民族文化传承与创新所做出的努力与贡献。

本文库所辑入各书，多为名家名作，在版本方面，以初版一印本或经著译编者审定、修订、增订过的版本为首选，因此本文库又具有较为珍贵的版本价值和收藏价值。

本文库还将编选续辑，使之成为恢弘文化工程。诚挚希望读者给予批评和指正，帮助我们完善编选工作，再现三联经典作品之风采。殊为遗憾的是，由于年代久远，一些原著译编者及其后人未能取得联系并奉付稿酬，诚盼版权所有者与我们联系。祈愿三联前辈所创造的精神财富能薪火相传，为中华文化的伟大复兴增光添彩。

《三联经典文库》编辑委员会

2013 年 8 月

凡　　例

一、本文库为重排本，由繁体字竖排版改为简体字横排版。

一、以忠实于原作、整旧如旧为编辑原则，对当时使用的专有名词、外文译名，以及民国时期的语言和特色予以保留。

一、原书注释如旧，编者所出的注释，均以“编者注”标明，以示与原书注释的区别。

一、对原书残缺或字迹漫漶之处，以□示代。

一、对繁简文本转换时的“如右”、“见左”一类，对应改为“如上（前）”、“见下（后）”。

一、对原书中各种错讹脱衍之处，直接订正，不再以其他符号标示。

一、对数字、标点符号的用法，在不损害原文语义的情况下，做必要的规范。

一、本文库各书均前插原书书影、原书版权页和文库版“本书出版说明”。

一、本书出版说明的撰写，以客观中立为原则，扼要介绍本书的内容、版本流转、著译编者的情况。

本书出版说明

抗日战争中对阵的双方，不论是经济还是军事，中国都是落后一方，这就决定了游击战是中国军队不可缺少的作战方式。正因为如此，当时有关游击战术的著述如雨后春笋般应时而生。本书是作者在其《游击战术讲义》的基础上编成的，结合了理论和实际的战斗经验，分两篇来讲述游击战的要义，其中包括游击队的组织、任务，军事训练课目及政治训练内容，以及应该如何完成游击队的各项任务等。书后附有林彪、刘伯承、萧克、郭化若四位军事大家的文章，不但介绍了抗战经验、游击战术方针以及在后方的应用等，也可看做对发动游击战的有力动员。

长征结束后，陶汉章受命来到八路军总部随营学校任队长兼教员。有一天，学校收到一封来自国统区的信函，信中希望八路军能为抗日军民提供一本关于开展敌后游击战的书，落款是“三联书店邹韬奋”。随营学校校长把这一任务交给了当时教授这一科目的陶汉章。陶汉章历经三个月写成此书，于1939年3月由读书生活出版社初版。本次出版即以初版为底本。

陶剑青（1917-2010），本名陶汉章，江西省进贤县人。出身于五代书香世家，初中毕业后考入冯玉祥的汾阳军官学校。1933年在吉鸿昌领导的抗日同盟军司令部当参谋，追随吉鸿昌反蒋抗日。1933年参加中国工农红军，1935年加入中国共产党。1949年后，历任中国人民解放军军事学院训练部副部长、军事科学研究部副部长、部长，军事科学院战术研究部副部长，广州军区参谋长，军政大学副校长，军事学院副院长、顾问等。1955年被授予少将军衔。曾荣获二级八一勋章、二级独立自由勋章、一级解放勋章等荣誉。著有《孙子兵法概论》、《军事问答一百题》、《游击战术纲要》、《参谋工作》《热带丛林作战》等。

生活·读书·新知三联书店

2013年8月

读书生活出版社 1939 年 3 月初版书影

游擊戰術綱要

一九三九年三月初版

編著者　陶劍青
發行者　戰時知識社
總經售　讀書生活出版社
重慶武庫街一〇〇號
桂林桂西路陽家巷二號
貴陽中華路一六四號
成都祠堂街三十三號
昆明華山南路九十一號
上海靜安寺路斜橋弄
經售處　全國各大書局

實價國幣壹元

原书版权页

目次

自 序

游击战争在近代科学进步兵器竞争的时代出现，可以说是被压迫民族，为自由独立和解放而奋斗的最有利的武器。我们不是唯心论者，当然不主张“精神克服物质”；我们更不是唯武器论者，当然更不主张“机械战胜一切”。我们主张从中日战争整个国力的对比上，来了解自卫战争中的战略问题。

自从日本帝国主义的血手攫取了东北华北以后，现在已伸入到华中以及华南了。中国人民，在他经济政治的暴力压迫之下，已陷于极度贫困被残酷屠杀压迫的悲惨境遇中，这样不能不使广大的中国民众，为自身生命财产以及民族的存亡，而从事于自卫的战争。这种武装斗争的形式，便开辟了持久消耗战与游击战争的泉源。

中国是经济落后的国家，交通的设备，都表现着非常落后，于是便造成了游击战争能生长和发展的特殊条件。

中国的军事技术落后，军火微弱，不利于同敌人作大规模的正规战斗。我们为了实行持久的消耗战略，以求最后的战胜敌人，只有不断的产生与充实自己的力量，发动群众的游击战争，以消耗敌人的人力、物力、财力，引起战局变化，改变敌人形势，将战术胜利的发展，求得战役胜利的展开。

现在我们的国防线是被敌人突破了，虽然我们整个的战略计划上，仍然不能放弃某些政治与经济的中心城市，但在战术上，不妨采取转守为攻。这种转守为攻，决不是同敌人飞机大炮去硬拼，而是调动敌人，分散敌人，大步前进，大步后退，引诱敌人，到达适当的地区，给以强烈的打击，造成局部的反攻，与战略上机动。

要达到运动战的目的，只有发动广大的游击战争，以欺骗敌人，麻醉敌人，隐蔽主力的行动，给主力以有力的配合。

几个月来的经验告诉我们，平型关的战斗，忻口之截断，阳明堡之袭击，这是在小部队正规战斗中，颇不容易取得的胜利。这些光荣的战绩，都足以证明游击战争在配合主力作战中的伟大作用，将来战争的演变，当不可预想而知，综之，游击战争当成为抗敌战术很重要的战斗方式。

正因为如此，过去各地极有价值的游击战术的著述，应时而产生，指示了人们奋斗的途径，显示着解放的先声。

过去游击战术理论的真髓，可以说是包罗净尽的，可是，在实际的动作上，不能不是比较简略。列宁说："离开了实际的理论，便是空洞的理论，离开了理论的实际，便是死的实际。"为了这一点，我将过去一些实际的经验，不怕难看的，写在这小册子上面。目的是为使理论与实际互相配合，使理论指导实际，使实际证明理论，收杀敌致果之效，使游击战术成为救亡同胞理论现实的根据，倘得有补抗战于万一，则幸甚矣！

本书是游击战术的讲义编著而成，因参考材料的缺少，实际经验的缺乏，时间的短促，尚希武装同志教正是幸！

以上可算是序。

陶剑青　二月十五于晋南前线之洪洞。

第一编

第一章　总论

第一节　游击战争在抗日自卫战争中的重要意义

抗日游击战争，这已经是宣传全国的一个新名字。有不少的人在谈论它，研究它，书局里出版了许多书籍论述这个问题。许多爱国志士民族英雄已经在把它付之实践——东北的人民革命军义勇军，晋西北、晋察冀、山东、河北、绥远以至上海的郊外，抗日游击战争已经广大的发动起来了。以上这些事实，指给我们看，对于抗日游击战争的理论，予以深刻的研究实为必要。

抗日游击战争它为什么会自然地而且广泛地发动起来？这种战争的实质是什么？它应当有个什么正确的定义？

事实告诉我们，抗日游击战争，并非谁能故意制造出来的东西，同时谁也没有力量能够把它取消。它是一种时代的产物。苏联出版的《游击队怎样动作》一书上说:“游击队是不大之武装的游击支队。当某一国领土被敌人占领时，这一支队即在该敌人后方动作。”又说:“在一切战争当中，人民或人民之某一阶级都是有充分理由来热烈仇视占领其国土的敌人，所以是战争激起人民之游击运动的。”在中国目前具体情形之下，抗日游击战争的发动，是由于日本帝国主义侵略中国。日寇到一个地方，那个地方的人民不愿做亡国奴隶，他们或者有武器或者没有武器，或者有军事人才或者没有军事人才，他们不管一切这些条件，就在敌人远近后方或者敌人将到的作战区内自己动手干起来；或者经过抗日政府与抗日军队有计划的分配出正规部队担任游击的任务和组织民众的游击战争，抗日游击队就在这中间形成起来。它包含着各种抗日的社会成分，得到全体同胞的拥护，每个抗日游击队的产生和发展都是一部悲壮激烈可歌可泣的史诗。

由此可见，抗日游击战争的产生，是在日本帝国侵略中国领土这一历史条件之下产生出来的，它的实质是一切不愿当亡国奴隶的同胞，为了救死求生，而采取的一种最高最广泛的斗争方式，它以日本帝国主义为其敌人。抗日游击战争的定义，因此应当是：抗日的大众战或民兵战，我们指明它是抗日的，以与其他的游击战争分别开来。我们指明它是大众战或民兵战，以与正规的武装部队的战争分别开来。

但是抗日游击战争虽然与抗日正规军的战争有着区别，这两者之间也并无不可逾越的鸿沟存在。一方面，抗日游击队，当它长大起来，或者集合几个在一起时，也能作较大规模的战斗；另一方面，正规军队只要它与群众有着好的联系，得到民众的同情与拥护，它也可以分派出小的甚至相当巨大的部队，进行游击战争。

抗日游击战争，是革命的战争。蒋委员长指出：抗日战争是国民革命过程中所不可避免的。抗日游击战争，当然也是抗日战争的一部分。

抗日游击战争，更值得我们全国同胞和一切支持正义的人去同情和赞助，他们处在敌人后方，他们的斗争非常困难，他们有的几乎以赤手空拳，白手黑字抗拒强敌，为我民族争光辉，争人格。蒋委员长指示我们，对于水深火热中的同胞，不能坐视不救，对于艰苦奋斗的抗日游击队，我们全国同胞，当然更应钦敬他们，鼓励他们。

我们在上面已经说到抗日游击战争是抗日的大众战，民兵战。现在我们要指出几种对于抗日游击战争不正确的了解。

第一种：以为抗日游击战争，是一种神秘的东西。我曾经看见一本书举出三国时诸葛亮的战例来说明游击战争，在该书著者的意见，抗日游击战争似乎是军事天才如诸葛亮之流的发明，而不是一种群众运动。这种对于抗日游击战争的了解，可谓一窍不通。抗日游击战争，绝对不是某个军事天才的独得之秘或者什么奥妙无穷的东西。抗日游击战争，本质上是抗日的群众运动，不过它是群众抗日斗争的一种最高方式罢了，离开了群众，就根本谈不上抗日游击战争，而抗日游击战争的全部“秘密”就在于它是一个群众运动，一种群众抗日自卫的武装斗争方式。

第二种：以为抗日游击战争，与我国过去历史上的农民游击战争或军事天才的孙吴诸葛等所发明若干战法一样。这种说法，有一部分真理，因为抗日的游击战争，其反抗性和一些战法的原则（声东击西，避实就虚之类）是与历史上的许多游击战争大致相类。但这里有一个大的不同。过去的游击战争，一般是以刀矛相战，与现在以劣势武器对现代化军队作战的抗日游击战争大不相同。所以抗日游击战争主要的是应从现代的游击战争中，从一八七〇年普法战争中，从俄国十月革命后的国内战争中，从中国十年来国内战争中，采取经验教训，而更把这些经验教训，在新的条件下加以研究，使之完全适合于全国一致抗日的新条件。

第三种：以为抗日游击战争即是十年来的国内游击战争。这种说法，有一部分理由。因为第一，现在发生着和发展着的抗日游击战争，的确从过去十年的国内游击战争中取得了许多宝贵的经验；第二，它的干部中的确有一部分是十年来国内游击战争中锻炼出来的干部。但这种说法，并不完全正确。不但如此，而且这种说法犯了很大的错误。它看不见现在的抗日游击战争，是以日本帝国主义为唯一敌人的，与过去国内游击战争大大的不同；它看不见过去的国内游击战争，我国的人民不是全体同情的，这种游击队的队员，也只包括工人农民的成分，现在的抗日游击队，则得到我国无论那一个阶级的同情与拥护，它的成分包含着各阶层不愿当亡国奴的分子，虽然其中主要的成分还是工农；它看不见抗日游击队，不是过去为苏维埃为土地革命而奋斗的武装，而是抗日民族统一战线的产物，是为团结全国一切同胞战胜日寇而奋斗的武装。对于抗日游击队与过去国内游击队的分别的认识，是非常重要的。

抗日游击战争既然是群众运动，那么任何地方，凡是有了这种群众运动的，有着军队的帮助固然能够发动起游击战争来，没有军队的帮助也未始不能发动起来。抗日游击队既然包含着各阶层的分子，为各阶层的共同利益而奋斗，它就能最广大的发展起来，得到全国上下一致的赞助与拥护。

第二节　抗日游击战争的作用

抗日游击战争，是整个抗日战争中的一部分，是取得抗日战争最后胜利的主要条件之一。

抗日的民族自卫战争，要取得最后的胜利，仅仅依靠游击队，谁也知道不够的。必须有政治坚定，指挥统一，装备优良的数百万正规的现代化的国民革命军，作为主力，才能达到目的。

但是，我国的抗日民族自卫战争，究竟是弱国反抗强大帝国主义侵略的战争。军事技术方面我们处在劣势地位，我们用以战胜日本帝国主义侵略者的主要因素，乃是政治上的理直气壮和人力方面的无穷源泉。正因为如此，所以抗日游击战争，即抗日的大众战民兵战，成为我们抗日自卫战争中必不可缺少的一部分，成为争取这一战争最后胜利主要条件之一。

试举历史上的事实，来证明发展抗日游击战争的重要。一八一二年发生所谓“祖国战争”的时候，由农民和小部分的军队混合编成的游击队，或单由农民编的游击队，竟然完全破坏了法国军队的后方工作系统，并且使法军几乎饿死。一八七〇年普法战事的时候，德国军队占领了法国一大部分土地，那时有种未编入法军的义勇武装队叫做“自愿射手队”，曾给德国后方及其独立支队许多打击。在俄国十月革命后国内战争的时期中，在西伯利亚乌拉山地方，以及在吴等格吉尼金将军及波兰人之后方的红色游击队，不但时常破坏了和停止了敌人底后方勤务，并且时常阻止了敌人的正式进攻，且于白党将军退却之际，更将其被击溃的部队一网打尽。进攻苏联的高恰克，吉尼金，及波兰军日本军，为要和这些红色游击队斗争起见，不得不从战线上抽自己的精锐部队，因而减弱自己战线的兵力。在中国十年的国内游击战争，创造了正规军第八路军，东北的数万人民革命军义勇军。他们经常牵制着数十万日伪军，使日伪在东北的统治不能稳定，使日寇无法或者很困难榨取东北的资源。

抗日游击战争的作用具体的表现在那里呢？

第一，在于抗日游击队是民众抗日学校，是抗日民族统一战线的武装宣传者和组织者，抗日游击队，从民众的群众抗日斗争中发生和发展起来。抗日游击队的本身，就是民族英雄爱国志士的集团，也是他们训练和锻炼自己的场所，抗日游击队与民众的关系就好比鱼和水的关系一样，抗日游击队如果脱离民众，得不到群众的拥护，就休想在敌人远近后方存在，它迟早会被敌人消灭。因此，抗日游击队为了自己的生存与发展，就必须把自己变成抗日民族统一战线的宣传者和组织者，发动和团集广大的民众，起来抗日，起来自卫。在这样的行动中，就把广大民众教育成为抗日战士，为抗日民族统一战线做了极宝贵的工作，增添了无限的力量。

第二，在于抗日游击战争，能够部分恢复国家领土，和维持失地的人心。抗日游击战争，在敌人的远近后方发动和发展起来，那里本来已经没有我国军队，或者至少没有我军主力；那里已是被敌人占领的地区，或者至少是有敌人占领可能的地区；那里我国的政权机关已经不存在，或者已在危险中；那里敌人已经或者将要组织起傀儡政权。在这样的地方，游击战争的发动和发展，根据地的建立，游击行动的进行，将使那里的一部分领土，一部分人民，重睹光辉灿烂的青天白日满地红的旗帜，重新恢复自己的政权，发扬他们的民族意识，因而奠定了基础和信念，准备下力量和条件，使这块土地和民众，终于有重见天日的机会。

第三，在于抗日游击战争，能够使敌寇无法从他所占领的地区中，取得人力和资材的补充来灭亡我国。日本帝国主义是穷凶极恶的帝国主义，是泥脚的帝国主义，它资源缺乏，人口又少，它占领中国一部分领土，就想在那一部分领土上即取得资材和人力的补充，商品市场的独占，以便更进一步来占领全中国甚至整个亚洲。广大抗日游击战争的发动，将使日本强盗这种如意算盘完全打破，越是抗日游击战争发展得广大，敌人就越是不能榨取占领区域的资源，人力，和市场，来作为进一步侵略的本钱。敌人在占领区域，组织汉奸傀儡的政权，来代他维持统治，游击战争的广大发动，就也使汉奸傀儡不敢抬头，因此抗日游击战争，对于日本帝国主义，实是致命的创伤。对于抗日游击战争这一作用估计不足显然是非常错误的。

第四，在于抗日游击战争能够配合正规军作战。抗日游击战争的发生和发展，使敌人士气消沉，这就已经给了我国正规军以帮助了。对于打运动战的正规军队，游击战争的广大发展，几乎是保证其取得胜利的最主要条件，因为它可以隐蔽我正规军的运动，侦察敌人迷惑敌人扰乱敌人，在作战时控制敌人增援部队，或者造成我军进攻取得胜利的良好条件。对于我扼守要点的正规军，游击战争可以相当切断敌人的后方运输，弹药粮秣和有生力量的补充，截击其医院兵站等等，使敌人的机械化兵种，减少威力，后方的死伤与损失，甚至超过前方，后方维持交通的兵力等于前方作战的兵力，陷敌于进退维谷异常困难的境地。忻口战役便是这种配合例证之一。一般说来，特别因为我国比起日本来是一个弱国，在当前的技术条件之下单靠守备部队的顽强抵抗而能战胜敌人的事，应当视为例外。阵地战运动战，和游击战的配合，是战胜敌人所必须采取的战法，是每个优秀的军事家所应当郑重考虑的原则问题。

第五，在于抗日游击战争能够为正规军创造优良的后备军和新的兵团。抗日游击战争，是民众的抗日学校，特别是民众的抗日武装斗争的学校。那里是千万万最勇敢最坚决的充满民族意识和朝气的黄帝子孙，他们不是为了升官发财，不是为了个人的利欲，而是为了民族的生存，在最困难的条件下，几乎是赤手空拳的起来搏斗。任凭敌人怎样可怕，也丝毫不动摇他们的决心，他们的精神，真是动天地而泣鬼神。那里训练出和锻炼出百折不挠的铁汉，最优秀的军事指挥员和政治工作人员。从这种艰难困苦的斗争中发生出来和壮大起来的队伍，补充到国民革命军中，或者创立成为新的兵团，他们的胜任愉快，是毫无疑问的，抗日游击队的前途，是保卫中国抵御日寇的正规军队。

总结起来，我们可以看到发展广大的抗日游击战争，实为我国各界爱国志士极其重大极其紧要的事业。我们诚恳的希望，我国政府和各界，来努力的采取具体办法，协助，奖励，和促进抗日游击战争的广大发展。

第三节　反对污蔑抗日游击战争

虽然抗日游击战争有上述的重要性，但是，它仍不免被若干人所误解，汉奸托匪亲日派则更故意想出种种办法，来污蔑抗日游击战争。

汉奸托匪张慕陶，在各种企图失败之后，现在正在收编土匪，和由极左的口号欺骗农民，组织他的“游击队”，成为汉奸武装，日寇内应，托匪正在徐州帮助日寇组织别种队。而另一些托匪，如像叶青之流，却在攻击和诋毁抗日游击战争，称为土匪。托匪们用危言耸听的话，来恐吓某些人们，挑起他们对于过去国内游击队的恐惧心理和恶感，而若干人竟居然受其蒙蔽，也对抗日游击战争起了误解。

再则，有少些自私自利之徒，他们不是为了民族的利益而为了自己的升官发财，为了骗取委任状，他们也来组织游击队。这种游击队组织起来之后，扰敌不足扰民有余，最后就迅速归于失败。这种人，与其说是组织抗日游击队，毋宁说是破坏抗日游击队。

第三，有许多好心善意的人们，因为看到抗日游击队中成分复杂，有若干不良的社会成分在内，因而对于抗日游击队发生多少疑虑。我们不否认抗日游击队中会包含若干社会出身不良的成分，而且这些成分，如果占着领导地位，就会坏事。但另一方面，我们要知道，在全民抗日的大潮流中，有一部分社会不良的人参加抗日游击队，乃是不免的事。我们所应该注意的，是去改造他们，诱导他们，教育他们，使他们弃邪归正，变为为民族而奋斗的战士，却不能因为有了这种社会成分，而走到否认抗日游击队的光明前途和抗日游击战争在抗日民族自卫战争中的重大作用。

第四节　游击战术的基本原则

××同志说：“游击战争的定义，是群众战争，是群众参加抗战的最高形式。”

“游击战争的发展，会给侵略者以极大的危害。而对我主力军之作战，则成为有力的助手，游击战争，可以实现迷惑敌人，疲困敌人，阻扰敌人，分散敌人，以配合我主力军进行战斗。敌人深入一步，即被我群众重围一层。敌人集中，则以游击战争的方式，经常包围袭击和扰乱他，断绝其交通运输，封锁其消息。肃清汉奸，实行坚壁清野，使敌人精神上受重大打击，资财上受到极大的损失，消息不灵，接济困难，这样使敌人疲困起来，麻醉起来，造成我主力消灭敌人的条件和机会。”

什么是游击战术呢？××同志说：“游则敌不知我踪，击则敌防我。”我们根据游击战术专家的名言，可以作这样的解释，游击战术的目的：“在以寡敌众，以弱胜强，以散袭整，以熟胜生，出没无常，散聚靡定，进可以致敌人死命，退可以蹑敌人之后方……使敌人无所用其备，而收制敌人之效。”孙子曰：“兵者诡也，故能而示之不能，用而示之不用，近而示之远，远而示之近，利而诱之，乱而取之，实而虚之，强而避之，怒而挠之，卑而骄之，使而劳之，视而离之，攻其无备，出其不意，此兵家之胜不可先传也。”故游击战术，无一定不变之成法，所谓“运用之妙，存乎一身”而已。

然而游击战术究竟要不要一个原则呢？我底答复是要的。假定游击战术没有一个原则，就好像驾驶员失去了指针，驾驶员失去了指针，就会产生许多麻烦，和发生许多危险。游击战术要没有一个原则，不免要使指挥者匠心独出，费去许多脑力，耗费许多时间，终于放过了有利时机，在某种情况下，甚至于发生硬碰的危险。

××同志，在十年前已经发明了一个游击战术十六字的歌诀：“敌进我退，敌退我进，敌驻我扰，敌疲我打。”这十六字的歌诀，在表面上看来，是极其简单的。其实他是依据着当时的政治环境，经济与政治条件的联系，以一种牺牲较小，消耗敌人颇大的作战方式，使敌人终归屈服。

在另一方面，他是依据着自然的条件，如气候的变化，地理上的崇山峻岭，交通不便，熟习的地形与风俗习惯，民众的力量帮助等等条件，所荟萃之精华。现在的晋北的游击战争，又何尝不是使敌人疲于奔命呢？

游击战术最主要的基本原则，在于勇敢坚决，迅速敏捷，突然机动。

他的行动，应该是处处以主动，不为敌人动作所支配，应该避免每个没有胜利把握的战争，应该在广大的区域上，与民众建立密切的联系，争取群众来掩护自己，围绕于自己的周围，加强和扩大本身，使游击战争，成为群众的战争，使游击队成为武装民众，宣传民众，组织民众的有力支柱。

游击队绝少采取静止状态，进则开大踏步前进，退则大踏步后退，行踪务使飘忽，出没务须无常，经常活动于敌人的侧翼和后方，扰乱和破坏敌人的交通，截击敌人的辎重，配合主力之战斗。故游击战术，均应以突击为原则。除非在被敌袭击，退出战斗时，与担任警戒时，才采取必要的防御。

游击战术应有高度的弹性，如果发现敌人难以制胜，即迅速的退出战斗；如果发现敌人馁弱，则必须以迅速勇敢坚决果断之决心，出疾雷迅风的手段，一举而歼灭之。

游击队因为他本身数量的微小，武器的单纯，没有后方，也没有给养线和交通线，所以正规的战斗，是十分少的，长期的战斗，会使应得的胜利化为乌有。一般的说来，战斗时间愈延长，愈使敌人有增加调动，稳固退出的许多时机，将游击战术本身特性，完全消失，故游击战术的战斗手段，通常以采取速决的奇袭为有利。

游击队必须避免同敌人主力接战，应该寻找有利于我，不利于敌人的地形，以最大的力量，指向敌人的弱点，给敌人以致命的打击。在每次战争之先，必须作一缜密而周详的计划，事先如果没有一个周详的计划，往往会使敌人过早的发觉和暗算。

要以一切的手段，秘密我游击队的所在，因此当敌引进或围攻时，切不要集在一个地点，以待敌人的打击，应该经常的变换位置，活动于敌人的外围，穿插于敌人的间隙，使敌杳莫测其所穷。

敌人的行动，务须依靠于群众的帮助，组织情报网，将敌的一切行动计划，源源不断的察知，供给我军，以定战守取舍的计划。

××同志说：“游击队是一种根生土养的队伍。”这就是说，游击队无论在任何时机，均应与群众结合起来，必须在他们的周围建立外围团体，以资保护、壮大与健全本身，繁殖新的游击队，加强部队军事政治的锻炼，为灵活运用游击战术的基本原素。游击队的领导者，应深刻知道这一点，以最大的努力，使每个游击队员，均成为具有政治素养与军事素养的专门人才，从质量上来加强部队创造千百万的游击队的领导者，与组织者，以便更广泛的开展游击战争。

第二章　游击队的组织

第一节　在政治经济地形交通上的组织根据

一般说来，游击战争的发展，是需要一定的时间与环境。通常游击战争的爆发，在政治上是在敌人武力较薄弱，或不及的地方，当地民众民族意识及反抗情绪异常激烈的时候，才有爆发的可能。现在我们广大的领土已经被敌人占领了，在这个领土上，有着我们千千万万的同胞，他们在日本帝国主义的铁蹄下，忍受着非人的痛苦与生活。他们的父母兄弟被屠杀，他们的财产被抢掠，他们的姐妹被奸淫，这一幕一幕的惨剧，使他们的脑海中，划下了一个深刻的印象，民族意识已经由怨恨，而达到愤怒的最高点了。在敌人无厌的侵略底下，摧毁了多少城市，毁灭了多少农村，残杀了多少优秀的同胞，几千万的民众，正因为他们家庭的毁灭，以致没有饭吃，没有工作，在日本帝国主义的压迫下，正在摩拳擦掌，准备着斗争时期的到来！

伟大的中华民族，有着数千年光辉灿烂的历史，有着最高的文化，有着不愿当亡国奴的四万万五千万同胞，有着无限的物质资源，必能在持久的抗战中，高度的发挥整个民族的力量，向来被人议为一盘散沙的民众，将会很快的凝固起来，形成钢一般的团结，全中国的民众，将会各尽所能，在政府的领导下，为民族独立自由和解放，而流最后的一滴血。

从许多事实的证明，中华民族已经是不像过去苟且偷安了，倘能适当的在敌人的侧后方及战区组织民众，进行广泛的游击战争，在政治上是有充分的良好条件和保障的。也许有人怀疑，以为在中国广泛的开展游击战争，将来在经济上，会遭受极大的困难，甚至于没有办法解决的困难。

虽然，中国是一个落后的国家，是一个多数帝国主义掠夺下的殖民地。舶来品的倾销，使微弱的民族工业日益破产，使今天在抗战中，遭遇了不少的困难。但是同样我们应该看到另一个发展的象征，由于几个月战争影响，海岸被封锁，洋货入口及原料输出大肆减少，沿海商埠国外工厂，因战争而停止，给予内地民族工业经济一个适当的发展的机会。

假如在战争过程中，政府能够及时的施行正确的战时经济政策，整顿与扩大国防生产，发展农村经济，保障农产品的自给，禁绝日货，提倡国货，改良土产，使土产小企业能在政府帮助与扩大下，得到适当的发展，国民与战争最低限度的经济必能自给而有余，国家收入亦定能增加。倘能并以没收日本帝国主义及汉奸卖国贼之财产，实行累进税，增加田赋及奢侈品赋税，发行救国公债及救国募捐，以有钱出钱为原则，确立国家经济政策，那么支持长期抗战的财政问题是可以得顺利的解决的。

我想我讲到这里，一定有些人会问：上面所讲的，都是整个的问题，我们应该从小的范围内着想，游击队的本身经济问题怎样解决呢？

我想这个问题，我作一个简单的回答，游击队是“根生土养”的队伍，他是民众自动组织起来的武装力量，原则上是应该从中央政府，及各省政权机关，和地方政权机关，以整个国家收入来解决他的经济问题。但是事实上也有许多的不可能，因为游击队是在敌人的后方和翼侧，由激于义愤的不愿意做亡国奴的同胞们组织起来的，那个地方，我们的政权机关，已经被敌人摧毁了，社会的机构，也极端的混乱，所以游击队的经济问题，政府方面是很难接济的，最适当办法是由他自己去解决。这种由他自己去解决的办法，是在政府力量万分不能顾及的时候，其原则适用以下几点：

A. 没收日本帝国主义的财产，充作抗日经费。

B. 没收汉奸卖国贼的财产，充作抗日经费。

C. 向富户募救国捐（非强迫的是居于自愿）。

D. 发动群众自愿乐捐抗日经费。

E. 实行合理负担（原则上是有钱出钱，有粮出粮，有力出力，有枪出枪，有知识出知识）。

F. 实行抗日借债（因一时接济困难而采取之手段，行此方法时，必须建立良好的信用制度）。

根据以上的几个原则，与当时环境，酌量情形，具体的运用，无论在任何情况中，不要使部分人对游击队不满与仇视，应在抗日的最高立场，求得一般人士的谅解。同时在本身的经济方面的使用，应节省开支，废除骈枝组织，禁止浪费，严惩贪污中饱，取消薪饷制，规定一律平等的生活费。这样游击队的经济问题，是可以迎刃而解的。

地形方面，依据现在敌人的战术，因其武器装备的优越，很少离开交通线作战（公路和铁路），在敌人积极扩大侵略范围下，愈深入中国内地，后方联络线愈加延长，到处有被游击队袭击的危险。

敌人在兵力的使用上，为要集中优势兵力，与我正面作战，其后方广大的地区上，通常是十分薄弱的。游击队在这种情况下，充分的可在敌人的后方翼侧某些村镇自由活动。

山地是游击队的策源地，因其绵亘不断的山脉，交通路的正面狭小，展开运动困难，大大的减少了敌人技术兵种的效力。同时在中国军队坚持抗战到底的政策下，敌人正面军队，尚难持久，更无法抽调兵力，进攻我们的游击队。所以游击队在这样环境中，可以自由的扩大与发展，可以寻求许多有利时机打击敌人，配合主力进行战斗。

依照现在的情况，最适于发展游击战争的区域为：

冀北、察北、察东、晋北、晋东、晋西、鲁东、鲁南、豫皖边境、浙赣边境。这些地区内，有高耸的山脉森林，充裕的食粮，丰富的资源，可以造成游击队“进可以攻，退可以藏”的优越条件。

在这里必须深刻的了解这一点，山地固然是游击战争最好的策源地，但是平原也可以进行游击战争，不过在广漠的平原上进行游击战争，应在他的本身方面，加强他的机动力，知道巧妙的灵活的运用游击战术，利用河川沟渠作为屏障，是可能将游击战争顺利展开的。归纳起来说，一般的原则，平坦开阔地，比较山地困难一些的。

第二节　人员武器与装备

什么人才能当游击队呢？凡是忠实于民族解放事业，具备坚决勇敢，迅速敏捷，不怕艰苦，不怕困难的牺牲精神，忍饥耐寒的坚定意志，不管他是什么阶级，什么主义信仰，都可以参加游击队。

身体健强与政治头脑的清晰为游击队员的基本特质，故吸收游击队员时，应以此为标准。什么人适合来领导游击队呢？在苏联内战时代的游击队，有些是由队员中，以民主的办法，选举出来的，不过我们今天在抗战中，因为要加强军事与政治锻炼，可以直接委派，这种干部，必须具备以下的质量：

A. 忠实于民族解放事业，具有高度认识与牺牲决心。

B. 有克服困难，忍饥耐寒，吃苦耐劳的精神。

C. 要在任何复杂环境中，具有独立作战能力。

D. 与下层群众建立密切的联系，深知群众的一切情形与特长。

E. 有遵守纪律的模范精神，有正确的领导方式。

F. 有军事与政治理论的素养。

G. 有健强的身体，勇敢、坚决、迅速、敏捷的动作，不染任何嗜好。

H. 有确切不移的胜利信心，经常的积极性，彻底的责任心。

I. 要有理智克服情感的头脑，临危不乱的坚持毅力，不有任何的私心，态度应光明磊落，建立在部队中的极高威信。

游击队的武器，在初期产生的时代，通常是简单的，不过原则上是依据地形，以及游击队的大小，有无根据地来决定，如果游击队大时，则应有他适当的武器，以便对抗其较多的敌人。在苏联内战时代，那些西伯利亚，高加索一带的游击队，因为他有山地和森林的隐蔽，后方根据地的寄托，曾经建立过他自己的炮兵。又如过去内战时代较大的游击队，也曾经有他的轻炮兵及自动火器，有许多地方，发现过土造“松树炮”和“大地雷”的游击队。使用这种的重兵器，一方面是由于他有稳固的根据地，另方面是适应当时环境，——当时为了集中兵力，打击某一点。在次要的方面，就不得不采取钳制的方式，钳制的部队，多半是由游击队担任，因游击队的火力非常薄弱，不够使用，就只得在要隘上设置“重炮”和“地雷”阻止敌之前进。今后在抗日的战斗中，为要针对着具有顽强防守，与火器较强之敌步兵，在支队以上的游击队，应成立炮兵（如可能的话），此种炮兵，必须是轻量的（如二公分加农、三七小炮、小迫击炮、榴弹枪、步兵炮等），大队内应有重机关枪连，中队内应有附属轻机关枪班，这些武器的弹药补充，多半是取之于敌人的身上。

除了夺取敌人的武器来补充自己而外，则只有出钱向关系方面购买，或在某种条件下，自行制造。（以射击过后的弹筒装药。）

一般初期的游击队，武器是很难齐全的，我们现在的办法，是每人都要有一件武器：步枪、鸟枪、大刀、梭镖、斧头、镰刀都可以，我们要求每个队员，会使用旧式武器，相信旧式武器。

游击队编制数量：

游击队编制的数量，依照地形来决定。如果是山地，有大森林的隐蔽，则游击队的组织，应该大些；如果是平坦开阔地，游击队为便利他的行动，隐蔽他过大的目标，则在组织上，应该是小一些。

游击队编制之原则，最重要的是：避免上重下轻的浮肿现象。什么是上重下轻的浮肿现象呢？这就是指挥部门的人员，不应太多，以免指挥紊乱，和一些不必要的麻烦，工作人员（如供给员、管理人员、文书、杂务人员等）应适当的减少，以充实下层的战斗力量，免去游击队后方的顾虑，使游击队成为一个精干而有充实战斗力的部队，绝不要上层组织庞大，形成一个空虚的架子，以致运转不灵，周身麻痹。

游击队内，应用骑兵，以便担任侦察、通讯、联络等事项。（如行平坦开阔地可适当的利用自行车队。）

游击队支队内，应有技术人员，及器材的存在，这种技术人员及器材包括：

A. 知道爆破的人才，知道技术通讯人才，知道测绘及参谋人才，知道医术及机械人才。

B. 医药预备品及绷带预备品。

C. 游击队动作地域的军用图，以及一些必要的印刷书写器材。

D. 破坏铁路、桥梁、电信、电话，以及军械库、交通工具等的器材和炸药。

E. 相当数量的金钱，以便为支队采买粮食，及安置伤病员。

组织系统按支队、大队、中队、区队直属之，人数按实际情形而定。在今天的情况下，游击队最小限度，都应在三十人以上，这最重要的是在敌人压迫下，便于集中多数的游击队，以打击敌人，收得协同动作之效。

通常支队辖三大队，一大队辖三中队，一中队辖三区队，一区队辖三班，每班九至十二人。

（附游击队充足的组织系统表及武器编制数量表[1]）

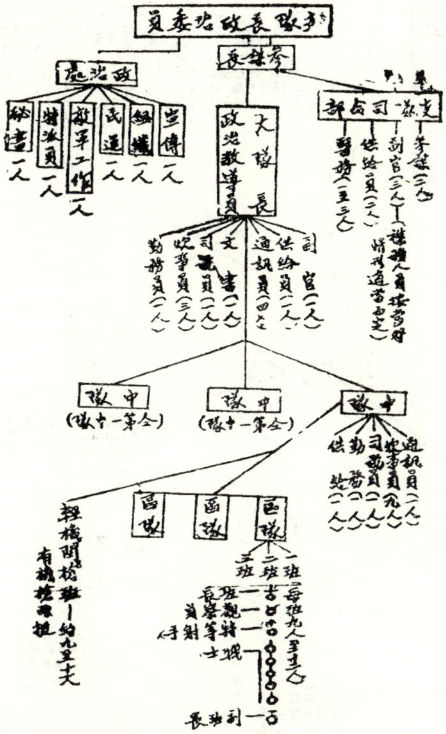

[1] 本书图表大部分为手写、手绘，由于年代久远，加以当时所处战争环境的影响，印刷条件有限，致使有些字迹模糊不清，难以辨识。——编者注

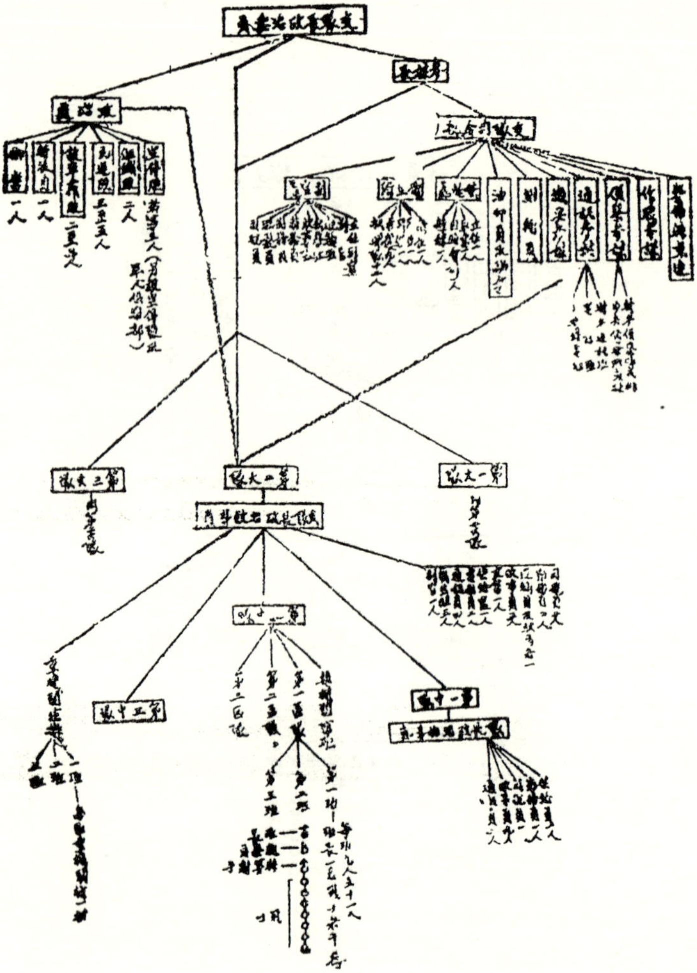

游击队的外围组织，公开的是自卫队、工会、农会、学生会、妇女会、商会、各种服务团、慰劳团、担架队、各种救亡团体，秘密的为通讯网、侦探网、谍报网、锄奸团体等。

在特殊情况下，游击队可以不拘泥于一定的数量，如三四十人仍然可以编为一中队；两个充足的中队，可以编为一大队；四个、两个大队，或五个以上的中队，可编为一支队。行此编制时，应尽可能减少各部门一切工作人员。

装备：游击战术应该是出敌意表，迅速秘密，所以他的装备，原则上是应该轻便简单。依照什么原则来确定他的装备呢？这是要从三方面来着想。

1. 地形敌情的关系——山地人烟稀少，道路崎岖，运动困难，物质缺乏，大大的可限制敌人机械兵种的效力。故游击队，只适宜于步兵，因为步兵补给较其他兵种容易，运动较其他兵种灵便。这种步兵本身的装具是愈简单愈好，可是因山地人烟稀少物质缺乏的关系，本身应有的武器服装装具以及一些必需的粮食，又不得不携带。如果是平坦开阔地，因其交通路的众多，人烟的稠密，物质的充裕，大大的可以发挥敌人机械兵种的效力，敌人机动性大大的增高，如果只是步兵的话，那必然要遇着许多应有的困难。所以在平坦开阔地，最好是骑兵，这个骑兵基于当地的物质条件，本身的装具，应尽可能的减轻。

2. 气候与天候——气候是决定装备的一个很重要的因素。气候寒冷的地方，那就应该增加许多装具（如被褥皮衣帽袜等），反之，就应该适当的减少。不仅如此，在最严寒的地方，如西伯利亚那些地方，大雪之后，积雪没胫，除了用滑雪板，和用狗拖的橇而外，根本就没有办法走路。所以当时苏联内战时代的游击队，在那西伯利亚一带地区，曾经组织过滑雪游击队员，并且发挥了许多神奇战绩。

3. 物质资源——随便什么部队，都不能离开物质资源而单独的存在，游击队当然不能例外。如当地物质充裕，地区广大，敌人无法封锁外来货物，时时可以输入，则游击队的服装装具，自可求得划一与适合于战斗的要求。反之，在敌人的封锁下，物质必然要遇着困难，游击队的服装装具，势必缺乏，为使游击队免受饥寒计，则应不顾适合于战斗条件与否，准其穿着不同式样的服装与装具。

基丁这几点，可以得出这样一个结论，就是游击队的装备是根据地形，敌情，气候，物质的各种关系，适合当时的环境，只要求于需要，不必拘泥于外表，在他的可能范围内求得解决。

（附游击队员全副装备表）

游击队员全副装备表

枪	步枪或短枪
子弹	若干发
手榴弹	二至三个
刺刀	一把
工作器具	一般的不需要但在某种情况下仍然是要携带
衣	适合于季候及气候的服装单衣两套
帽	一顶
被子	一床（按季候决定其厚薄）
绑带	一双
鞋子	两双至三双
袜子	四双至六双
皮带	一条
徒囊	一个
水壶	一个
饭盒	一个（内附菜盒）
背包	一个

续表

雨具	一副
碗筷	各一副
粮袋	一条
其他	随身用具若干（如伪装衣帽防毒药包等等）

附各部及各人工作概要：

1. 支队长及政治委员——为支队最高领导者，对全般指战员负有行政管理教育治理卫生的职责。

2. 参谋长——是军事指挥员第一代理人，他有以首长之名义发号布令及监督部下实行之权，负有直接管理教育治理卫生之责任，但行政问题须协同首长办理之。

3. 政治处主任——是政治委员的代理人，他负有巩固部队提高部队的政治文化水平，对本部队及地方居民宣传组织，一切政治工作的环扣有直接指导之责。

4. 作战参谋——进行一切作战必要的材料及事宜，草拟作战计划与教育计划，传达首长的命令，监督命令之执行。为参谋长有力之助手。

5. 侦察——搜集一切作战的必须情报，组织谍报网与侦察。

6. 通讯参谋——组织通讯的设施，如电话、电报、小无线电，联络骑步之通讯，民众通讯网之建立。

7. 机要参谋——进行一切机密工作，如翻译密电通讯等。

8. 测绘——测绘战时地图、行军路线图及标识地图。

9. 文书及油印——掌理书写及翻印各种命令文件等。

10. 宣传股——进行部队的宣传，提高部队的战斗情绪与政治文化的水平，在群众中宣传，建立军民的团结。——宣传队下有军人俱乐部及流动宣传队。

11. 组织股——进行部队的组织工作，巩固部队的战斗。

12. 民运股——负有民众运动之责，组织民众，武装民众，发起民众抗日救国运动，建立各种抗日团体。

13. 敌军工作——对敌军宣传，使之厌战和反军阀的侵略，组织其反正与训练俘虏。

14. 特派员——巩固部队，肃清一切汉奸、亲日派、托派。

15. 副官处——平时掌理一切交际、给养、杂务事宜，战时负有后方队列勤务之任务。

16. 供给处——掌理经济之出纳，粮食之采办，物资之供给，被服、装具、弹药之补给等。

17. 卫生所——对病者的医治，医药的采购，伤者的治疗与寄养，对本部队卫生事项之检查。

其余下级之指挥员、政治员、工作人员，依其职权可按以上的原则适当应用之。

第三章　游击动作方针

第一节　动作特点

游击队是不大的武装部队，其所以能困扰敌人皆由于他机警灵动之故。从前 ××× 同志，把游击队比喻为一个老鼠，把正规军比喻为一条牛，这是非常恰当的。牛的力量虽然比老鼠大几千倍，但经过老鼠不断的扰乱，终于会使牛挨不过老鼠的纠缠，屈服于老鼠的意志底下。所以战争胜败，不能是以力胜人，而在以智胜人。游击队要达到以智胜人的目的，须在他本身上具有特殊的质量。这个质量就是：

一、具有坚决的进攻精神，正确的领导，巧妙的指挥，和强盛的政治情绪。

二、利用广大群众的拥护，和地形的熟习，英勇果敢地突击敌人。

三、审慎秘密准备，神速敏捷的行动。

这些质量，只有被压迫的民族，才能充分的保持与发扬，任何帝国主义者，不管他们的军事理论是如何的高明，兵器是如何的进步，倘使他们企图组织成机械的别动队或挺进队，来对抗我们的游击队，那他除了演出一曲“只有招架工夫，并无还手能力”或者是“虚晃一枪，回马便走”的滑稽把戏而外，别无其他的作用。最近据说日本帝国主义，组织了什么 ×× 队，进攻我晋北的游击队，从事实的证明中，这种丘八带着高跟鞋的蝴蝶舞演出了一些可笑的失败。

第二节　动作方针

一、熟思断行，主动机动。

在五个月抗战经验中，细细的分析起来，我们到处处于被动地位，以致促成战局日益恶化。今后我们怎样争取主动呢？

在目前指挥作战的方针上，主力应用在主要战区与利于反攻的方面。在战役战术上，主力应用于突击方面，不应以半数以上的兵力，使用于防御钳制方面。在防御时，主力应措置为预备队，待机出击；在进攻时，主力应用在突击方面，不必多留预备队，以求一举而歼灭敌人。在战略上，争取主动的方法，除了绝对的废除消极防御，实行积极的防御，或转守为攻而外，最可靠的，只有发动群众的游击战争，在敌人作战的侧后方，建立小块小块的根据地，来分散敌人的力量，削弱和疲惫敌人，调引敌人离开交通线减少其技术兵的效力，造成战役上各个击破敌人的机会。总之，在目前阶段上的战术，奇袭夜袭伏袭胜过于正面作战，包围，迂回胜过于中央突破。深入于敌人后方，攻其要害，取其不备，穿插于敌人翼侧，突坏其作战计划与战略意图，胜过正面抵抗。

游击战术应有其极大的弹韧性极大的机动性，能够根据当时的每个情况，每个地形与时间定出周密精细的计划。指挥方面，必须具有大胆敢为熟思断行之决心，临危不乱，沉着应战的意志，高度的牺牲精神，然后才能克敌效果。

二、不打硬仗，不攻坚锐。

游击队依据他本身的装备与兵力关系，因其数量的微小，且无炮兵，故对阵地战及坚固阵地的进攻，一般是避免的。因为敌人依靠地形及工事的依托，可以发扬其充分的火器效力，进攻这种阵地，必须要以大的牺牲，换得小的胜利。这种很大代价的拼命主义，在游击战术原则，与消耗战整个的原则上，完全是违背的。故游击战术，应常保持其韧性，抗战的精神。没有绝对胜利的把握不战，敌情不明不战，地形不利不战，政治条件不好不战。无论环境如何，只要是能够取得胜利——即使是捕捉敌人一个落伍兵，或一匹马，都是游击队的胜利，绝对避免冒险好大胜功的心理，可是同时我们又要发扬大胆敢为的精神。

三、避实击虚，声东击西。

孙子曰：“夫兵形象水，水之形，避高趋下，兵之形避实击虚，水因地而制流，兵因敌而制胜。”我们过去的游击战争，所以能经常战胜敌人者，就是他能够运用游击战术的最要原则，打击敌人。当时敌人为要保守他所有的城市，到处分散兵力防守，造成处处薄弱与被动的地位。游击队抓紧了这一点，常用声东击西之法，突破敌人最弱的一环，使敌人无法应付。所谓："备前则后寡，备后则前寡，备左则右寡，备右则左寡，无所不备，则无所不寡矣！"现在的日本帝国主义，又何尝不是一模一样的，对付我们的游击队呢？倘能发展更广大的游击战争，则将来的日寇势必陷于此种泥坑，而无以自拔，须知敌人的兵力，虽然众多，但在声东击西的战术下，足以代敌人的力量，所谓："敌所备者多，则吾所战者寡矣。""敌虽众可使无斗。"

四、阳此阴彼，虚张声势。

"兵不厌诈"这是孙子的名言。的确的，政治态度应公开明确，军事动作应秘密诡诈。孙子曰："兵者诡道也，故能而示之不能，因而示之不因，近而示之远，远而示之近。"又曰："虚则实之，实则虚之。"倘能灵活的运用虚张声势之法，可使敌人在每一战斗中发生疑惧与恐慌的心理，动摇其指挥者的决心，消失其士兵战斗意志。

五、出敌不意，击敌不备。

孙子曰："敌佚能劳之，饱能饥之，安能动之，出其所不趋，趋其所不意。""攻而必取者，攻其所不守也，守而必固者，守其所不攻也。”“进而不可御者，冲其虚也，退而不可追者，迅而不可及也。”

战斗条令上说：“秘密的准备，迅速的行动……为出敌意外的主要条件。”要达到出敌意外的目的，应该充分的利用民众的掩护，务使敌无从察知我之所在。敌之消息，应尽所有的方法，使之源源不断的供给，所谓：“知己知彼，百战百胜。”在兵力的使用上应采取秘密迅速，坚决果敢，突然机动的手段。在时间上，务须给敌人以无从推测的根据，如利用强行军每天一百四五六十里，突然出现的打击其薄弱部分，使敌不及应战。

六、分散工作，集中使用。

游击队是一个武装的宣传队，可随时分散，又可随时集中。曾国藩说：“能集能散，制敌自便，散而有节，聚而乘变。”这是说明集散使用的原则。

1. 如果情况缓和，没有任何的顾虑，则应分散工作（化整为零），以便扩大与发展游击区，繁殖新的游击队，加强游击队的外围组织。

2. 遭遇强敌袭击，无法集中脱逸，则必以分散的方法逃脱，以保存自己的有生力量。

3. 为了袭击敌人，通过某些地域，避免民众的耳目，亦须采取分进合击之法。如果发现敌人可乘之机，本身力量无法战胜，以歼灭敌人时，则应集结可能集中的力量，给敌人以强烈的打击。

七、以迂为直，出没无常。

× × 同志说："打得就打，打不得就溜，躲和溜是他有的特长，很少被敌发现过。"他还说："有路，就不走，没有路就走。"这证明游击队是如何的秘密，游击队要想作到出没无常，首先要学会躲和溜（即埋伏和退出战斗的意思），其次要学会跑路，挨饿，受冻，耐热，摸夜路，倘能件件都达于熟练，无论如何强大的敌人，也是没有办法应付的。因为我们是抱着如 × × 同志所讲的"赚钱就干，亏本就不来"的主义，所以我们要打敌人，随时可以找到适当的机会，敌人要打我们，连踪影也找不到。我们的行动是飘忽驰骤的，神出鬼没的，所谓："微乎微乎，至于无形，无形则深涧不能窥，智者不能谋。"这就是说明用兵，倘能使之出没无常，任何人都是没有办法应付的。

八、利用时机，袭敌截敌。

游击队的生长，通常是山地，所以他能充分的利用他的优越条件，或出敌之前，或出敌之后，或出敌之左，或出敌之右，奔突迂回，飘忽无常，使敌无休息之暇，我有奇袭之便。

利用季候天气的变化，大风雨雪之夜，是容易成功的，因敌人在这时候，警戒是很疏忽的，给了游击队以打击敌人的最好机会。

时间和空间上，亦可使游击队寻得许多有利条件，如敌人渡河过半，或刚达到宿营地，尚未配备警戒，秩序比较紊乱时，都是游击敌人的良好时机。

第三节　动作种类

劳敌——敌行军则以二三人为一组，占领行进路之两侧翼，俟其侦察通过后，即发枪射击其行进中之部队，使敌疲于搜索和布置。敌宿营则以少数人不断的分班袭击，使敌加强其警戒兵力，增加疲劳程度。这样在整个的战役上，可以取得时间上的先机之利，另方面可以逐渐消灭其旺盛的士气。过去我们常以游击队置于

××边境上，不断的骚扰敌人，有时使他怒挠，以致随游击队之后而尾追。游击队则乘此时机，诱敌深入腹地而重层包围，直至于消火而后已。有时经我游击队不断的扰乱，均未给敌以强烈攻击，使敌忽视游击队之力量，造成许多袭击敌人之机会。

饿敌——一八一二年之俄法战争，谁也不可否认俄国的坚壁清野战略的功绩。就是在过去的国内战争的历史上，饿敌仍然是有他显著的成绩。

迷敌——发动群众不给敌人引路，将行进路之路标拔去，使敌迷失道路；不替敌人当侦探，使敌得不到我军好的消息。或伪造命令文件，故意使敌拾得，或造作有意义之谣言，使敌判断迷误。总之要用一切可能的方法，密匿自己的行动，要以一切可能的方法，暴露敌人之企图，使敌人进入到我们迷魂阵内。

阻敌——这是为了牵制次要方面的敌人，迟延其前进的一种办法。这个方法有两种：一种是将行进路悉数破坏，如当敌行进时，在其必经之路上，择险要处挖断路面，破坏桥梁，烧毁船只。另一种是，以少数兵力，作持久的运动防御。这个方法将来我们在退出战斗一点上，要详细的论到，此处从略。

截敌——集中自己的力量，在敌人必经路上，窥破好机，截击其后尾行李辎重及其落伍人员。有时在敌人行军纵队伸长中间空隙甚大时，则可以按当时之情况，截击其纵队间之辎重。

诱敌——这是在某一战役与战术上，先将兵力埋伏于必经之路的两旁，以一小部队从正面与敌战斗，作撤退之姿态。此种佯败，必须使敌深信而不疑，时时保持与敌人接触，俟诱至预定地点时，伏兵即给以突然之掩击，将其悉数消灭。此种动作须有一审慎而周密的计划，迅速而敏捷的行动，以免敌军增援。

袭击——乘敌兵力薄弱或戒备疏忽时，给以突然的打击。寻找这种袭击目标，须是自己能胜任的，同时本部队必须要有极旺盛的士气，与高度政治情绪确切不移的决心。

侦敌——游击队是主力部队的触角，主力部队需要每时每刻情报供给，游击队应尽所有的力量，以完成此一任务。通常除利用同情的民众的帮助，保得必要的材料外，同时应有本部队化装侦察作为外助，务期明了其兵力兵种番号，行动方向企图等等事项，以便将此种有关的情报供给我军。

捕敌——捕敌有两种作用：第一为了削弱敌军的力量，增强自己的武装力量，遇着敌人的单个通讯员或联络员设法捕捉解除其武装，来武装自己；第二为了明了情况，而捕捉敌人侦察电话员等。

逐敌——倘敌之主力被我之主力部队击溃时，游击队则应以最大的努力，穿插于敌人之翼侧，扰乱或截断其归路，先敌占领其必经退却路上某要点，或时时给以突击与时时的扰乱，或拆毁其退却道路之桥梁，破坏其交通路，及交通工具等。

欺敌——兵不厌诈，只要能欺骗敌人的，应尽量利用。如利用大雾及夜间对敌施行佯攻，在人数少的方面，烧火喧闹，使敌消耗弹药，而以另外方面侵入，或用其他方法以欺骗敌人。我记得 ×× 同志说过：他在游击战斗的初期，有一次他扮作白军军官，（敌是单独驻防之连，因为他已经知道该连连长不在家。）黑夜里跑到人家驻地，站在人家的营院里，吹哨音，结果这连人以为是连长回来，有紧急事情集合，谁也不敢点火，黑夜里一个一个的摸索的出来，不费五分钟功夫，静悄悄的被 ×× 同志带了出来，直至每个人都放下了武器，才知道是那么一回事。

毒敌——在敌将要占领的区域，将毒药洒放井内及一切食物中，使敌到达此地后，中毒而死。但此种手段须在彻底的坚壁清野的情况下，才能施行，不然将会引起民众的反感。

第四章　游击队的任务

第一节　总的任务

游击队的任务，是按敌情，地形，本身的大小而定。

为要达到妨害敌人的迅速机动，使敌人不易移动部队，不易运送粮弹，接给前方，不易于运走受伤人，使战斗系统紊乱，运应不灵，则应：

a. 破坏敌人行动区域内之铁路，公路，石路，土路及电信电话，人工筑物。

b. 损坏敌人主要的兵站，仓库及次要的兵站。

c. 袭击其司令部，飞机场，兵工厂，后方医院。

d. 袭击其辎重队，运输队。

e. 配合主力作战，达到迷惑敌人，麻醉敌人，分散与钳制敌人的目的。

f. 在广大的区域内，发动群众抗日运动，创造抗日的新阵地。

g. 调查和侦察敌人的后方情形，搜集各种情报。

h. 在敌人的占领区域内，积极活动，利用敌人的每一个空隙，打击敌人和摧毁当地的汉奸武装。

第二节　配合主力作战的任务

为要谈到配合主力作战，逐渐削弱敌人，与彻底的消灭敌人，游击队应该：

a. 侦察敌军的行动，搜集确切的情报，供给主力部队。

b. 经常扰乱敌军，疲劳其兵力，截夺其辎重，捕捉其通讯联络采买人员，收集其武器。

c. 阻碍敌人之行动，诱致敌人以不预期的地点与时间，以便我军之伏击。

d. 当我主力进攻时，在敌人的翼侧和后方活动，以分散其力量，钳制其兵力，配合我主力消灭敌人，夺取其阵地与战斗兵器。

e. 当我军防御时，游击队任主力之前方战斗；警戒时，压迫其过早展开，暴露其企图。或活动于敌人的侧翼和后方，欺骗敌人，麻醉敌人，钳制与分散敌人兵力，使敌人的进攻方向迷误；或担任主力侧翼的警戒，防止意外的事变。

f. 当我军退出作战地区时，游击队应与敌人保持不断的接触，迟止敌人前进的时间，迷误敌人追击的方向。阻止敌人的尾追和挺进，使主力有裕余时间安全撤退。

g. 主力前进时，游击队或在总的意图下，以迅速秘密的动作，先敌占领某要地，以便主力达到尔后的战略意图，或行进于主力之先头和翼侧，作主力之触角，加强其侦察。

h. 如果意料有遭遇战斗时，或在总的意图下，配合少数主力，行进于敌人相反的方向，伪装主力，使敌人展开正面错误，便于我主力从翼侧打击敌人。

i. 在驻军时，或资主力之外围警戒，作主力之有力侦察。

j. 当敌人前进时，游击队应该帮助民众实行对日坚壁清野。（将交通路上之各村庄所有之一切粮食，发动其埋藏于地下，井水或填固或下毒，民众则发动其整批住山中避难——至少要使老弱妇女小孩逃避免致为敌利用或屠杀。）

k. 吸收坚决反日的分子，参加自己的游击队。

第三节　在战区边境上的任务

a. 发动当地民众反日运动的斗争，组织反日团体。（如游击队、自卫队、工会、农会、学生会、妇女会、动员会等。）

b. 肃清汉奸，注意扑灭敌探，及间谍网，消灭一切汉奸机关。（如维持会，欢迎会等组织。）

c. 繁殖新的游击队，巩固和扩大本身，打击与消灭敌之别动队和挺进队。

d. 寻找有利时机，打击敌人，解除其武装，夺获其辎重。

e. 以一切巧妙之方法，打击进占我抗日根据地之敌军。

f. 以一切方法（如在退出时遣还俘虏，散发传单、小册、标语、口号、壁报等），进行日军、伪满军、蒙军中之兵运工作，瓦解敌人，提高其反战意识，援助与组织其反正。

第四节　在敌占领区域及其后方广大区域内的任务

a. 混入城市及乡村，作工人农民学生运动，派得力的同志，混入敌军中，作间谍工作。

b. 揭破敌军一切欺骗宣传，组织与领导广大民众实行民族革命战争，创造新的抗日根据地。

c. 四布耳目，组织通讯网，侦探网，游击组，以彻底明了敌军。

d. 袭击与消灭汉奸武装，捕捉敌军单个或数个的通讯采买人员。

e. 不分昼夜的穷扰敌人，造成其后方不安的状态与恐慌心理，牵制其兵力。

f. 袭击敌人司令部、粮台、兵工厂、被服厂、兵站仓库、反动政权及金融机关，捣毁其飞行场、交通站。

g. 破坏其电话，电线及其交通路。

h. 袭击其辎重队，运输队。

i. 寻找有利时机，袭击行动中及守备薄弱的敌人。

j. 巩固与扩大本身，锻炼与健全本力。

第五章　游击队的侦察

第一节　侦察组织与侦察手段

游击队因为他有群众的拥护，一切情报可由同情的民众中取得，所以很少实行正规的侦察，不过有些时候，非用正规的侦察，即不能达到任务。（如对敌人阵地侦察。）故游击队原则上决不应废除正规侦察，不过这些侦察是比较步兵要简略一些的。

汇集情报，应不厌详，不仅关于敌情，地形，道路应加以详细的侦察，即其一些微小的事项，都应该汇集起来。

当组织侦察，支队长对于下级游击队给予任务时，必须：

1. 对于执行者，给予力能胜任的任务，同时依据这一任务，而以相当的兵力和兵器，保护这个任务的圆满完成。

2. 给予任务，要计算所需要的时间，以便执行者有充足的时间来作准备工作，来遂行侦察和送达报告。

3. 自己的企图，要知道的一些事项，详细而审慎的告知执行者。

4. 检查执行者，对自己任务了解的程度。

5. 如果任务十分重要，距离较远，任此种侦察的部队，指挥者必须附以充足的通讯工具。执行者对上级的任务，应细测自己对任务之是否了解，上级所给予的兵力和火器，是否充足。怎样拟定自己的侦察计划。对此任务，应该采取何种方法完成。在总的侦察任务下，怎样分成各别小的任务，给予部下分头完成。考虑送达报告的地点，这都是执行者必须知道的。

支队一般侦察，是由骑兵侦察班担任，在有些场合，骑兵侦察班不能够担任时，可由游击队内步兵部队担任。此部步兵部队，或是派出一分队，或是派出一个班，按照当地情况和任务大小来决定组织。

实行政治侦察时，一般的应按照军事的动作，达到预定的场合。不仅是要在敌人的正面和翼侧，而且应到敌人深远的后方去，搜集汉奸傀儡组织的布告和文体，及其在民众中散布一些欺骗的宣传。

询问居民，为政治侦察可靠的材料。但对于所询问的人，应尽可能的慎重和注意，以冷静的头脑，判断其答语。

无论在任何情况中，组成政治侦察时，均应在政治委员的命令中插入适当的政治干部，以便从侦察敌人的情报或住民的政治情报，地方经济，生活习惯的状况，有迅速作政治判断的能力。

侦察的手段，也按照当地情况来决定。譬如你要侦察渡河点有无船只停泊，有无桥梁及守兵把守，则可以用观察。这种观察为要加大他在远距离上的视力，通常是附以望远镜。

假使你要知道某地某村有无敌人，派侦察员亲自去侦察。如果是通路很远，情况不十分急要时，当然可以采取询问居民的办法。

如果你要明了敌人内部情形，指挥姓名，番号，兵种，火器等，观察不能明了，询问也无法取得，只有采取捕捉俘虏。

如果你要知道敌军阵地，兵力的配备，火力的配系，在伪装进步的今日，观察是颇不容易发觉的。这当然只有采取威力侦察，以暴露敌人的一切企图。

所以侦察没有一种固定的方式，执行者应该按照当时的情况与自己的任务，自由灵活的变换方式。

第二节　侦察目的

为什么要进行侦察，这当然是为了明了敌情，地形和居民情形。敌情方面，应包括明了以下几点：

一、对敌人一般的侦察：

1. 敌人在那里，什么兵种，兵力多少，武力怎样。

2. 敌人之正面侧翼背后及其附近兵力的配置，工事的构造如何。

3. 敌人仓库，兵站在什么地方，有多少敌人守护，弹药补给如何，由何处来，往什么地方去。

4. 敌军的一般情绪怎样，对反战情绪怎样，生活情形怎样，对他的上级官长军阀们怎样，对我们的影响怎样，对居民的关系怎样。

二、地形的侦察：

1. 主要道路的方向，有多少路，通什么地点，道路的宽广及土质，是否能通过炮兵，辎重及骑兵。

2. 对重要地点区域，有几条山路，有没有森林，森林属于何种，所占地区若干，有无河川，河川宽广深度及流速，河岸之倾斜，有无桥梁及船只。

3. 有无山地，山之高低，土质怎样，倾斜度如何，山上有无人烟及交通路。

4. 有无险要地带，凹道呢，凸道呢，它的长度怎样，两边情形怎样。

三、对居民的侦察：

1. 民众对反抗敌人意识如何，敌人对民众屠杀和压迫如何。

2. 民众中间同情和保护游击队的有多少，情形怎样，反对游击队的有多少，是什么人。

3. 本地的经济状况及地理关系、气候、民情、风俗、习惯怎样。

4. 其他影响于将来政治上的问题。

5. 有无汉奸傀儡组织，有无汉奸武装，数量多少，组织怎样。

第三节　化装侦察及谍报

游击队除了一般的侦察外，最可靠的就是化装侦察。任化装的队员，要有勇敢聪明，机警敏捷的质量，有充分的军事与政治的常识。

任化装侦察的队员，应该是会讲当地的土语，懂得当地风俗习惯，按照当时季节气候，按照当地的服装特点，艺术特点的化装。

化装侦察员化装的良好与否，是决定了被敌发现很重要的条件。所以此种化装，应十分注意的。最微小的东西，也应适合于本人的（即化装的人）身份。

化装侦察员，为要取得他确实的情报，应该不避一切困难和危险，接近敌军。要达到此种目的，最好是伪装为一小贩，车夫，卖艺者，倘得女同志来充任这个工作，更容易达到目的。

利用同情的民众，充作侦探，为游击队侦察的有力助手。派遣此种侦察时，应详细考察其社会成分，对我们的信仰，对敌军之仇视程度，是否可靠有何保证。

此种便衣侦探派出时，应同时派出二至三个给予相同的任务，令其采取各不相同的方式，潜入敌军附近，规定其应侦察之事项，（绝不可告知自己之企图。）及回报时间。

利用同情的民众，组织侦探网。此种侦探网，在乡间应布满于每一个村，横纵式组织。每五平方里内，应建立一个侦探组，市镇及城市，各茶肆酒店，剧团等的娱乐场所，交通站中，（如火车，汽车，飞机场等。）各机关部门中，均应有侦探的存在。其联络方法，一般的采取面报，但有时可采取书面报告，以可靠的捷足送达之。

这种组织，是以组为单位。潜伏于某个村的为某组组员，中间有一个组长指挥。一切报告均送于组长处，一组长可指挥八至十之组员。距离不得超过于七里之半径。组长直接受侦探区队长的指挥。五十平方里内，可建立侦探区队情报所，收集情报。各组间避免横的关系，下级对上级只令知其直接通讯者的一人。以如此之方法，避免在某种情况下，被敌破获后的一网打尽。（谍报网的组织可仿此。）

如有紧急情况，各组员之报告，可不经过分队长及区队部。直接送达于高级司令部，侦察科。

各组员应有极高度的抗战救国精神，临难不屈的坚决意志，以保持组织的绝对秘密。

谍报——什么人才能充任间谍，这在国际间谍史话上，可以见出人才颇不容易选择。不过我们所说的间谍是小规模的，所负的任务也没有国际间谍那样重要。所以我们的条件，以能达到任务为限。（人员的选择最好用女子，小孩，交通人员和械师，敌军内部的工作人员，小贩等等，布满于敌军行动的范围或内部。）

一般间谍的任务：

1. 在军事上收集极端重要的情报，将此种情报适时送达我军。

2. 从事破坏敌军，瓦解敌军，散布反战反法西斯侵略的影响。

3. 密探军事上政治上一切秘密组织与设施。

4. 敬布谣言，刺激其极重要的侵略的法西斯首领，造成敌军内部恐怖不安的局势。

5. 迅行有力的离间，使敌内部自相火拼。

第六章　游击队的警戒

第一节　行军警戒

游击队因为有大多数民众的拥护，敌人的一举一动，都会从民众中取得的，所以他遭受敌袭击时候，可以说是非常少的。

游击队有迅速灵动的特质，遇敌则高飞远扬，迅速遁去；进攻则飘趋骤驰，出没无常。所以他警戒的特质，是与正规的部队不相同的。

游击队是一个少数的武装部队，经常应保持他优越的体力，以应付不意的事变，故其警戒的兵力宜节约，不宜过于疲劳。

基于以上的几点，得出下列的原则：

当游击队前进行军，如果预料有遭遇敌人的可能时，前方警戒部队的任务：

1. 适时取得敌情地形的情报。

2. 排除敌人小的企图。

3. 掩护本队不遭受敌人的突然袭击。

通常支队的警戒部队，有两种派出的方式：(插图一)

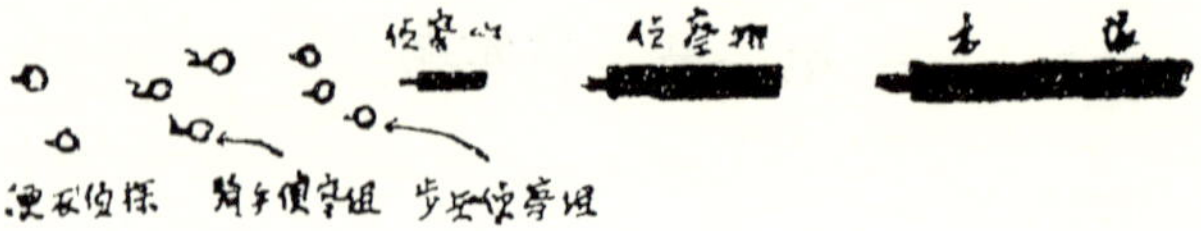

这种警戒组织，便衣侦探，应行进于部队的最先头，十至十五里（先出发一点半钟）。骑兵行进于便衣侦探和步兵侦探的中间，或便衣侦探的后尾，其目的在补助便衣侦探力所不及的地方（便衣侦探通常依行进路前进）进行侦察。同时又因他的速力关系，在便衣侦察发现敌人时，又可藉骑兵的强大速力通讯，保持适时的明了敌情。步兵侦察组，侦察班，侦察排，则为支队的直接警戒。支队的侧方警戒，得按当时的情况而定。如果认为十分需要时，可以派便衣侦察组，采取平行的道路前进，以资掩护。行进中，侧方的停止警戒，得免除之。（插图二）

这种警戒组织，骑兵是担任最先头的侦察，如果发现了不意的事变，或道路的难走河川的不便徒步等情况时，骑兵侦察当适时的报告。如果行进路是已经知道的熟路，又无骑兵可派出时，则只派出侦察班和侦察就够了。游击中队的行军警戒，在无任何情况的顾虑时，则前方只须派出一侦察组。

第二节　驻军警戒

游击队当由于行军转为宿营时，则应组织警戒，其目的在：

1. 保障驻军部队不遭受敌人的突然袭击。

2. 排除敌人一切小的企图如侦察扰乱等。

3. 取得余裕的时间，掩护驻止部队的安全撤退。

驻军警戒兵力的成分，是依照距敌人的远近，本身兵力的大小，地形条件，以及当地居民对军队的关系如何而定。

一般的说来，游击队有极大多数群众的外围组织，环绕于他的周围。同时又应顾到战士们的疲劳，警戒兵力宜极端节约。如远距敌人三日行程，前方又有本军便衣侦探时，则支队只须在通敌的最要道路上，派出独立军士组或小组，各部队间只须派出直接警戒和联络员就够了。（插图三）

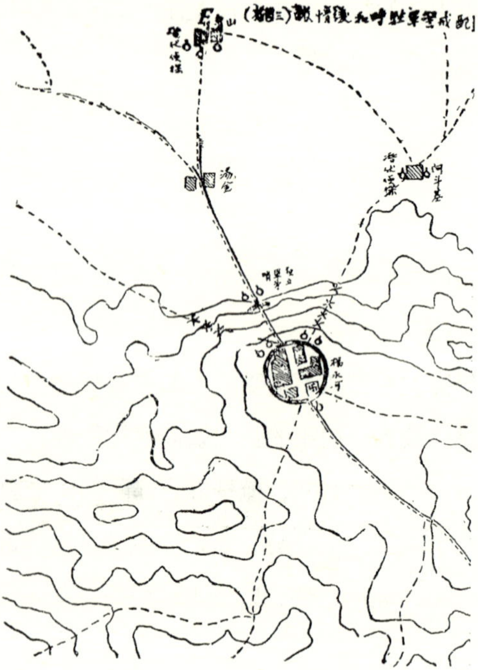

如果情况紧张，则警戒的兵力应当适当的增大（通常占全兵力五分之一或九分之一，）应付突发的事变。

在警戒的组织上如果感觉十分需要时，则应在通敌的主要道路，较远的距离上，派出便衣侦探组或潜伏哨，担任最先头的警戒，以联络员保持透切的联络，同时依据适当选择的地形与距离，派出前哨连，由连派出一至

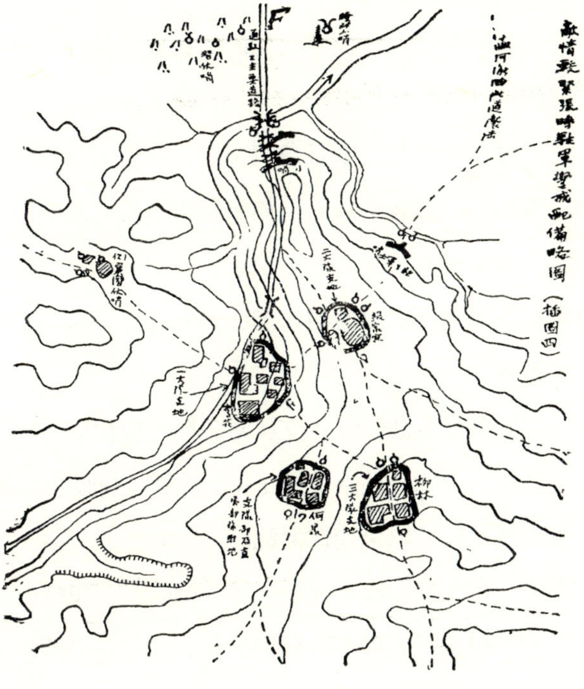

二个小哨以资警戒。（插图四）

该前哨连（约一中队的兵力），有抗击敌人扼守警戒阵地的责任，不准轻易放弃其阵地，除非不得已或已接受命令达到了抗击时间时，方允许退出战斗。

附——骑军警戒一般的规则，可参考《苏联步兵战斗条令野外教令德译战术》。另外一些问题均包括于宿营项内。（第七章第二节）

在情况紧急与居民有敌意时的警戒配备。

说明：

1. 便衣侦察如发现紧急情况时，应急速向联络员联络，或向部队报告。联络员如果报告不及，可鸣枪。有时预先告知便衣侦察，与联络兵，各准备禾草一堆，如发现过多敌人不及报告时，均应预先号令，可燃烧禾草代替报告。

2. 为防止紧急情况，支队对各队均应预先号令或通知部队有充分的战斗准备，各战士对自己的服装，武器，放置应按次序，以免仓促混乱。

3. 注意直接警戒，阻止内部奸细的捣乱和纵火等。

4. 不得已时，可采取恐怖手段，扣留该宿营地之人为质。入夜时，宣布特别戒严，禁止行人。

5. 指定值班部队，加强警戒兵力，严密巡查。黄昏前对于行人只准进，以便询问消息，不准放出，以防泄漏消息。

6. 临时有计划的变更宿营地。（在变更时应秘密迅速并留置潜伏侦探于该地。）

7. 规定应付意外事变的方法，指出警戒部队掩护的时间，撤退的道路，集合场（此集合场应在十五里外，二个至三个为妥当），以及通讯联络的信号。

8. 如果便衣侦察预先发现弱于我们的敌人，向我宿营地前进时，在时间许可的范围内，可令警戒部队让开道路，在敌人径路险要的地形上，设置埋伏，取袭击的手段，击退或消灭敌人。如果时间很短促时，则迅速撤退，开始应以假的方向显示敌人，掩饰自己的实在退却路，便于安全的撤退。

9. 如果突然受到敌人的袭击，则应依赖于村落建筑物顽强抗击，以便整顿部队，有秩序的撤退。如失去村落，也应重新夺回，以便救出被捕的或还藏在这屋里继续抗击的同志。一般这种条件是可能的，因为敌人在袭击。成功后，部队已经混乱无秩序了，倘能给予敌人强烈的突击，往往能使失败转为胜利。

10. 在必要时，得在附近制高地点，构筑简单工事，居住之房舍，利用围墙，击枪眼，驻地之出口，在不妨害自己的动作时，得阻塞之。

第三节　战斗警戒

游击队在配合主力攻势防御时，通常可担任侧方警戒。但有时可任前方警戒。这种前方警戒的任务：

1. 保障防御者不遭受敌人的突然袭击。

2. 使敌人不能察明我军的防御配系。

3. 压迫敌人先时展开，暴露其企图。

担任此种警戒，是要有适当的火力，所以指挥者应酌量情况，给以附属的火器，加强其通讯工具。

担任前方警戒，是用火力妨害敌人的动作，但有时可采取短促的突击，妨害其动作。

警戒的任务完毕，其撤退方向，是绕向自己防御配系的翼侧，以免封锁自己的火力。

担任侧方警戒，应对侧方不断的派出侦察，以便明了敌情，防止敌人迂回和包围。（插图五）

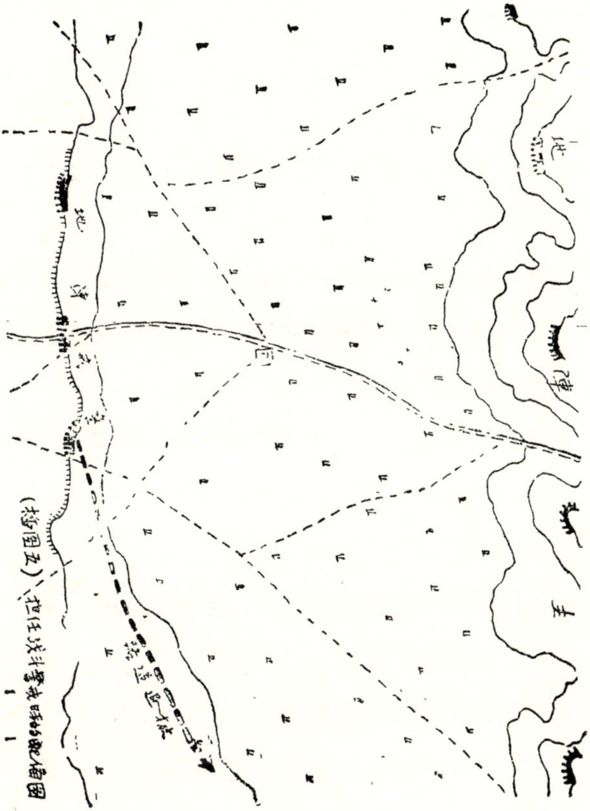

（插图五）担任战斗警戒时的配备图

第七章　行军宿营

第一节　行军

行军差不多占去了游击队动作的大部的过程。袭击敌人，首先就要用行军来移动部队；退出战斗，也是依赖于行军来脱离敌人。

游击队的移动，多半是利用夜间风雪雨露的时候，他的行动，应该是十分秘密迅速的。要达到迅速秘密的目的：

第一，队员应有健全的体格，强大的行军力。

第二，服装宜轻便。

第三，没有笨重的辎重，大行李的牵制。

第四，行军走小路，甚至于没有路的地方，便于充分保守秘密。

第五，要有详细而精密的行军计划。

行军组织，依当时的情况来决定。如果没有与敌人遭遇的可能时，则行军纵队各部队的序列，应以运动便利为标准。队形的选择，依据道路的宽广而定。

支队在行军前的准备：

A. 派出必要侦察部在行进路及行进路之侧旁详密侦察，此侦察部队应附与政工人员。

B. 参阅地图，计划行进的道路，（此道路应是十分隐蔽的。）大小休息点，到达的目的地，通讯联络的方法，警戒的组织，意外事变的处置，对空伪装。

C. 请向导。一大队，最低限度要一个。调查道路是否与图上相符，有几条图上没有的小路，这些小路的隐蔽的程度如何，道路形状何如，有无破坏及难以通过的阻碍地。

D. 处置伤病者及一些必要的辎重。

E. 发出预先号令检查各队执行程度是否达到应有的要求。

F. 召开干部会议，解释行军意义，及应注意的事项，防止怕艰苦怕困难的现象。

行军前，各部队长应率领部队至预定之集合场作短时间之训话，派出应有的警戒，宣布行军序列，检查服装武器与防空伪装。

行军时首长的位置：1. 前方有敌情顾虑时，首长应随先头分队行进。2. 后方有敌情顾虑时，支队长应在后尾分队内。3. 两侧有敌情顾虑时，支队长应在本队的先头，支队内一些较高级的干部，都要全部分配到各大队去加强其领导。

各部队长在行军中应注意事项：

（一）时时给警戒部队以任务，搜集各种征候及情况。

（二）注意步度的平均，不要过快，也不要过慢，特别是通过障碍物之后更应注意。

（三）顾虑战士的疲劳，指定大小休息，以便整顿装具及排泄。

（四）注意联络，特别是夜间。

（五）严格的禁止战士们不准离开自己的队列。

（六）注意战士们的草鞋装具是否适当，有无对空暴露的弱点（发光的东西，红绿颜色的布）。

（七）休息时注意隐蔽的警戒。（插图六）

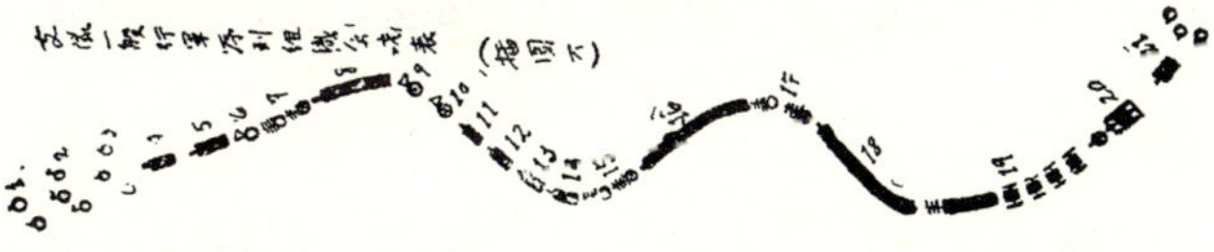

说明：A.

1. 便衣侦探

2. 骑兵侦察组

3. 步兵侦察组

4. 侦察班

5. 侦察排

6. 支队参谋长

7. 第一大队队长政治教导员

8. 本队（第一大队）

9. 支队长

10. 政委

11. 参谋人员

12. 政治处政工人员

13. 副官及事务人员

14. 供给及卫生人员

15. 第二大队长政委

16. 第二大队

17. 第三大队长政委

18. 第三大队

19. 大行李及部分辎重

20. 卫生组

21. 后尾掩护班

B. 有遭遇战斗的可能时，须加强警戒部队的兵力及火器，加强侧方之侦察警戒。

C. 指挥者的位置，按当时情况而定，前方有情况顾虑，支队应在先头的大队内，后方有情况，则在后尾大队内，侧方有情况，则在本队的先头。（无敌情顾虑时亦然。）

D. 关于大行李之处置，一般的前进行军时，跟随后尾部队行进，撤退时在部队先头行进。（注意不要堵塞自己的退却路。）如果认为有必要分道行进时，则分道退却，派出少数部队掩护，翼侧有敌情顾虑，大行李应在无情况之另一翼侧行进。

第二节　宿营

到达宿营地应注意事项：

（一）清查人员武装是否到齐，检查行军中的一般现象，作报告向上级陈诉。

（二）派出警戒，搜索营地有无埋伏的敌人。

（三）派出政治人员向居民作适切的宣传，使群众了解游击队的主张与行动，免发生怀疑与恐惧。

（四）注意纪律——军事的和政治的纪律，给群众以良好的印象。

（五）游击队到达目的地，不应一下就进入宿营，应在拟定的宿营地附近的村落，假做布置宿营的样子，等到一入黄昏时，才进入真的宿营地宿营。当离开这个假的宿营地时，应留置潜伏哨于该地，预防敌人间谍和侦探走漏消息。

（六）游击队的宿营地，一定要背靠山地，绝不可能靠不能通过的障碍地。

（七）不论何种情况，一到宿营地，支队长或参谋长，要率领所属各级指挥员观察地形，指出敌人可能来的方向，与撤退的道路，意外事变时的紧急集合场，与通讯联络信号等。

（其余一些宿营中应注意的事项，可参考驻军警戒项内。）

第八章　遭遇战斗

第一节　遭遇战斗的特质

游击队与敌突然遭遇的时机是极少的。因为游击队有极大多数民众的拥护，敌人一切情况均得适时知晓，同时敌人在游击队活动的区域内行动侦察必严密，所以突然的遭遇，只有在特殊情况下，或暗的夜间才有可能。

游击队与敌人遭遇战斗的战术原则，是与步兵战术原则极不相同的，这是根据游击队本身的条件而确定游击战斗的特质。因为他既没有强盛的火力，又无强大的兵力，在组织战斗时，首先就失去了火器配备与兵力优势的地位。同时这种遭遇多半是突然的，没有充裕的时间给游击队预先准备，在遭遇之后又无强大的火力和兵力以压倒敌人，突击敌人。到处形成游击队特殊遭遇战斗的特质。

游击队虽然有极大多数民众的帮助，但仍然不要放松行军时侦察警戒，特别是在敌人驻地附近或交通路上行动时为尤然。

游击队在行军前，预料可能遭遇敌人时，则此种的行军部署，应该是适合于遭遇战斗的原则，选择可靠的向导，加强前方和翼侧的警戒，将多数的自动火器，配置于先头的中队内，以便在发现敌人时，利用此种火器的突然发射，杀伤敌人，紊乱敌人，妨害其本队的展开，掩护我支队主力之突击。

支队指挥员为要适时明了情况，自己必须在纵队的先头行进，免致失去有利机宜。在兵力的部署上，先头的中队须是最坚锐的部队。其指挥员应是较有军事素养机警活泼的人才，以便应付想像不定的情况。

支队指挥员在行进时，时时应注意支队运动的道路的两侧，详细研究其地形以及遇敌后全般动作计划。

遭遇战斗情势变迁之快，每分钟都在激动着要求每一个指挥者，机断立行地窥破当时的好机，适切的下达决心，坚决迅速果敢地实现所定下的决心。

第二节　遭遇敌人时的动作

当我侦察突然遭遇敌，而尚未被敌发觉时，游击队应当避开敌人的正面，迅速撤至敌人行进路上之翼侧（一翼侧或两翼侧），隐蔽地配备起来，此时应绝对保守秘密，勿致暴露，俟敌进入到我之预定地区后，即给以强烈突击，机枪火力封锁敌之退却路，杀伤全般敌人，掩护我主力突击为适当。（参阅埋伏项。）

如果敌人预先发觉我们，则游击队应估计到地形的优越地位，（如敌行进于凹道中，沼泽湖泊间。）距离适当，我之火力可藉地形充分发挥，敌之部队无法展开时，游击队的指挥员此时应毫不迟疑的坚决地给敌人以迎头的急袭，此种急袭愈迅速，则收效愈大，兵力的使用一般的采取齐头并进的方式。

因为在狭隘的地段上，其火器已失去效力，我以兵力集结使用在极短的时间中，遭受的损害必然微小。另一方面讲，游击队通常是小的部队，倘到处分散兵力，必致处处力量薄弱，在与敌最后的顽强白刃战斗中，实无法以迅速解决战斗，或致演成漫战的形式，给敌人以抗击的时机，纵能侥幸的取得胜利，估计自己的牺牲，定与敌人相等。以同样的牺牲去同敌人拼消耗，这是游击战术中最忌的一种战斗方式。

兵力的集结使用，决不是以密集的队形向着敌人火力最强，兵力最大的方向突击，而是要选择几条平行的道路，在一个指挥员的指挥下，取得齐头并进，几个纵队，以能互相协助，同时投入冲锋，加强白刃战斗的力量，避免兵力的累积与冲撞。

倘敌人的力量过大，地形又不利于我们时，这要依当时的情况来决定，敌如先发现我游击队，则游击队应迅速以火力掩护撤退。（参阅退出战斗。）如未先发现我时，游击队应静肃迅速地避免强大无法战胜之事故，先绕道行进！（插图七）

某地之驻军向我游击队逼进，途经百丈峡，其先头

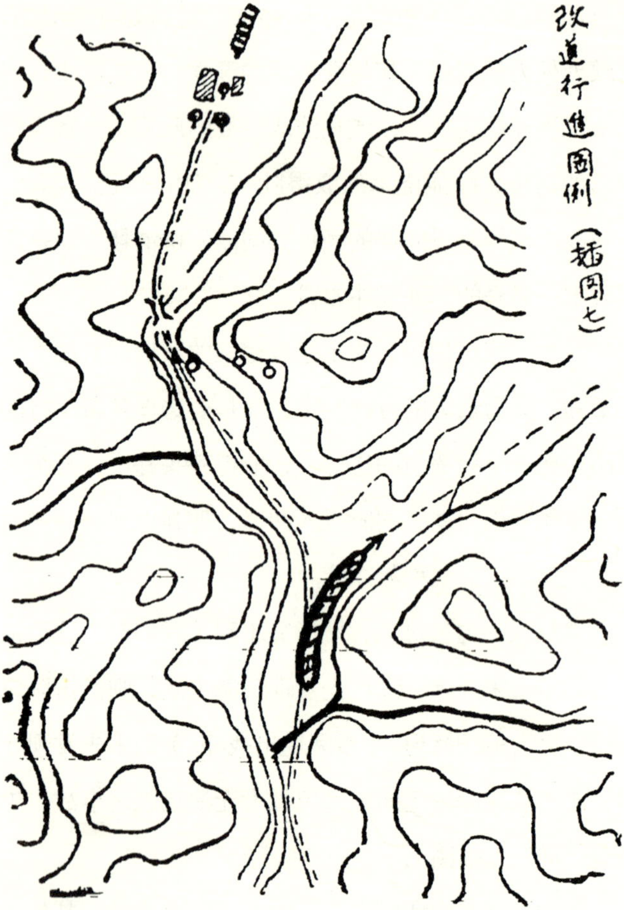

改道行進圖例（插图七）

部队刚出凹道时，即与我某游击队遭遇，我游击队窥破此种有利机会，即集结兵力突击其翼侧，结果将敌困围于凹道内，全部缴械，是役我无伤亡。（插图八）

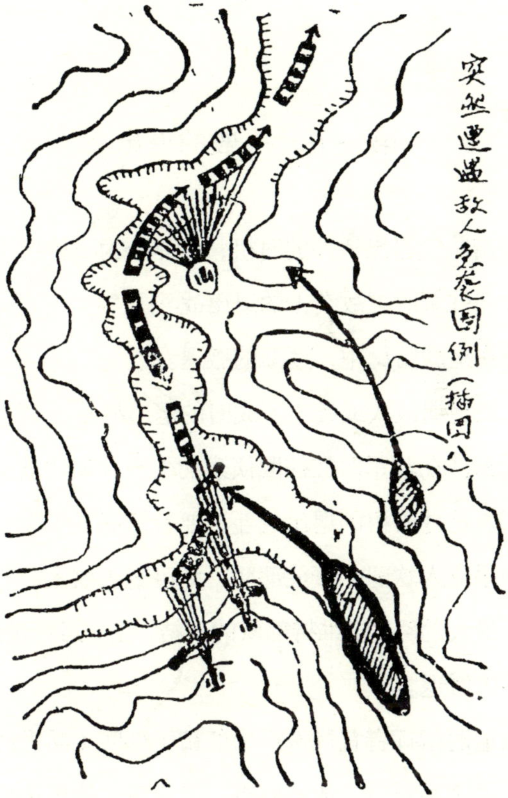

第九章　退出战斗

第一节　一般的退出

游击队的退出战斗的时机，大体分为三种：

1. 在驻军时被敌袭击的退出战斗。

2. 在运动防御中，逐渐的撤退。

3. 在遭遇敌人或袭击不成时的退出战斗。

游击队在驻军时往往因侦察的失确，突然遭受敌人的袭击。这种时机的退出战斗，要看情况紧张缓和来决定。如果敌人软弱，警戒部队，尚可迟止敌人时，指挥者应以最大的努力，维持部队的集结，在一条行进路上，有次序的撤退。

撤退时指挥者宜挑选得力的精干部队（兵力约九分之一）占领某隘口，或某要点，迟止敌人的尾追，其余大部，应按道路的良好关系，采用适当的队形，缩短行军长径，规定撤退的次序，（先撤受伤者和行李，次撤战斗部队。）依照一般的指示，到达所预定的目的地。

第二节　压迫下的撤退

倘遭受敌之强烈压迫，掩护队无法迟止敌人时，则应分道退却。利用多数的平行路，撤退到所规定的集合场。（即宿营命令中所规定的意外事变时的紧急集合场。）无论任何时机，均须十分镇静，不要慌乱。

倘若没有多数的平行道路可利用为撤退时，应以破坏方法补救之，（如过河后将桥板拆毁，在险要处砍断树木，堵塞道路等。）或以欺骗的方法，伪装我之退却方向，使敌误认，摆脱敌人之穷追。

在某种情况下，可用一小部引诱追击敌人，到达适当的地点，大部队迅速将道路让开，隐蔽于引进路之一翼侧或两翼侧，候追击部队到达预定的地点时，给以强烈的袭击，这种动作通常是容易奏效的。（此时应正确的估计情况与计算时间，不要无胜算的盲动。）（插图九）

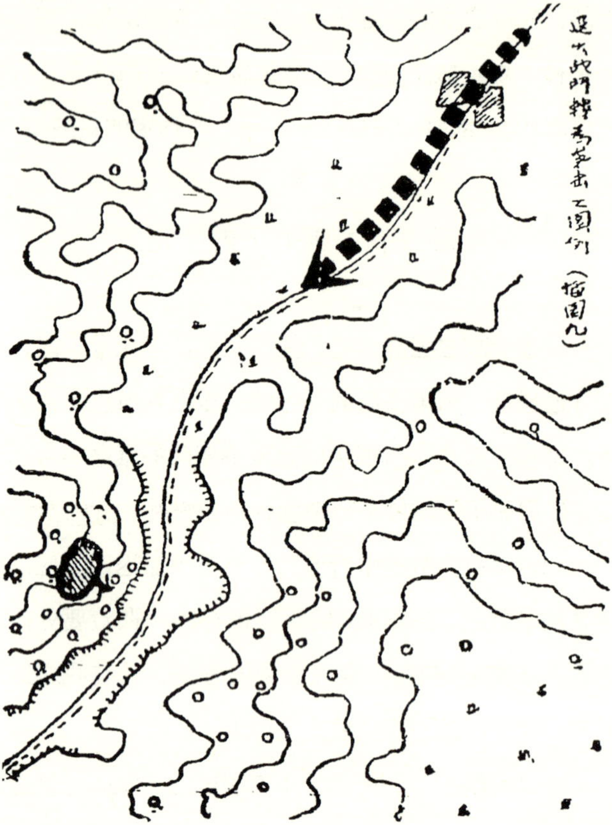

退兵此时转为袭击之图例（插图九）

如袭击之敌人已经突入了警戒配备，无法安静撤退的时候，便要立即利用附近的地形抗击敌人，直至部队能完全脱离敌人为限度。

如敌人已包围村庄，游击队指挥者应立即派出一部，利用墙头窗口，向外射击，制止敌人接近房屋，防止火攻。而将其余的一部集结起来，作预备队，待机突破包围，此时指挥者，应十分镇静机警，一面指挥抗战，一面敏锐的观察好机，选择敌人最薄弱的方向，集中优势的兵力，突破敌人的包围。

突破包围时的注意：

1. 绝对不可分散兵力。

2. 应有果断的决心。

3. 要绝对镇静。

4. 突破时要迅速秘密。

5. 突破的道路要选择适当，不要在突破后重陷敌人的圈套。（插图十）

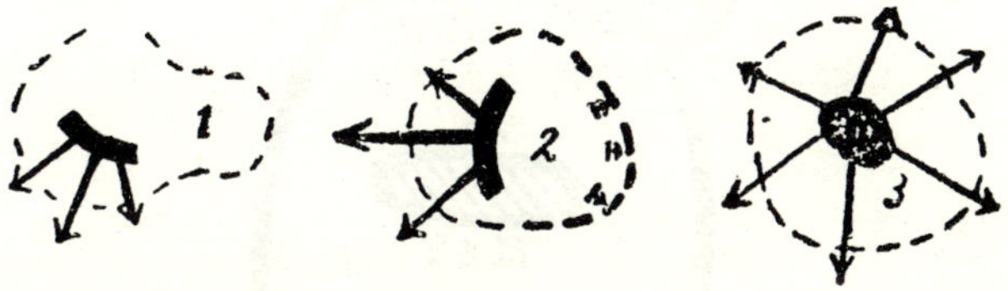

插图十说明：图之 1. 集中主力，突破一面，以求脱离敌人。图之 2. 以少数部队佯攻一方，而以主力向被包围之另一方面突破。图之 3. 在敌人兵力薄弱火力强烈之下，分头突破。

第三节　运动防御中有计划的撤退

运动防御时的逐渐撤退，必须有计划地行之，各个部队之间，要取得密切的协同，在统一的号令下隐蔽的撤退，到达新的防御地域。

退出的方法有两种：一种是在敌人已经防御地域的前沿，快要突破我们的防御配备的时候，这种时机通常先撤退钳制队，以突击队占领纵深的阵地，抗止敌人的战场追击。（插图十一）

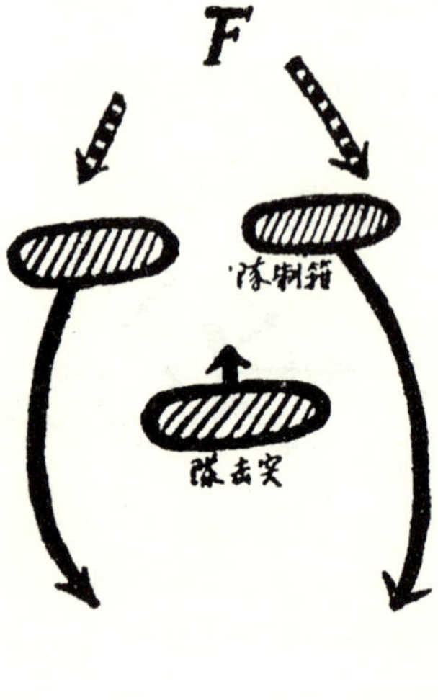

一种是敌人尚未迫近防御地域的前沿，估计时间还比较余裕，钳制队可能迟止敌人时，则先退突击队，此时钳制队，应发扬最高度的火力，杀伤敌人，妨害其迅速的机动。（插图十二）

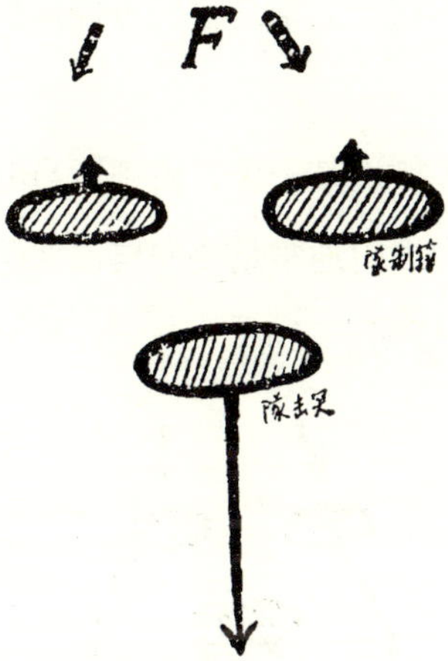

在特殊时机，游击队遭受敌人过分的压迫，无法脱离敌人的时候，可将精干部队，实行强有力的短促突击，击退敌人，便于迟止敌人的前进，迅速的撤退。

遭遇敌人时退出战斗，往往会引起敌人的尾追，对付这种的尾追的方法，通常是采取交番掩护法。

行交番掩护时，指挥员必须附以掩护部队的自动火器，与充足的通讯工具，便于掩护部队在某种情况下的机动。袭击不成功时的退出战斗，可参照驻军时遭受敌袭的要领行之。

交番掩护法：

1. 交番掩护法，通常是将机枪任掩护，有时也有以部队掩护的。

2. 方法是先撤退某一排，占领适当的阵地，以后逐渐次序撤退，撤退时通常是绕向自己部队翼之后方，以免封锁火力。（插图十三）

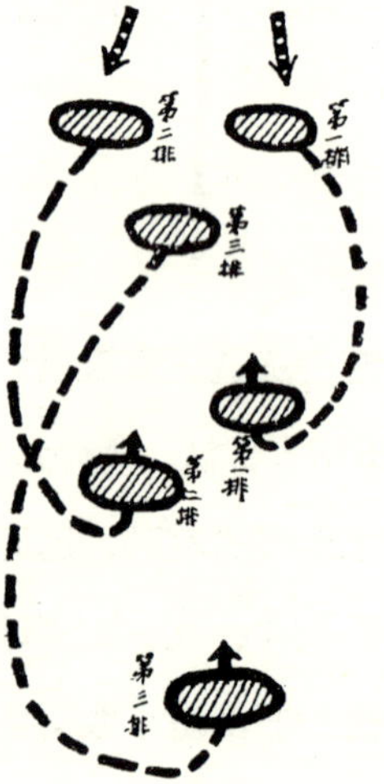

第十章　袭击与伏袭

第一节　袭击是游击战术的基本作战形式

游击战争不能一刻离开民众，这是最基本的原则。讲到战术，则游击战争的基本作战形式，不是别的，乃是袭击。袭击是攻击的一种游击战术，不注重正规的阵地攻击这种形式，而注重突然袭击或名奇袭的这种形式，这是因为游击战争是战略上以少胜多以弱胜强的，非如此不能达到目的。

第二节　袭击战术的要领

游击战争袭击战术的要领，一般地可以举出如下十二条：

第一，袭击的基本原则，就是要有秘密而周详的计划，迅速而突然的动作。

第二，游击战争袭击的目的，总的方面，在于消灭小敌，削弱大敌，扰乱敌之侧方与后方，配合游击部队之政治工作，破坏敌之政权，唤起民众起来抗敌，保持或恢复抗日政权。由此以创造抗日战争的游击根据地，配合正规军作战，因续获武装使游击队逐渐发展成为抗日的正规军。至于袭击的具体目的则在各个消灭敌之小部队，扰乱敌之大部队，消灭敌之民团，破坏敌之后方机关，破坏敌之交通路等等。

第三，袭击要选择有利于袭击的条件，无此条件或条件不足时，则须注意造成之，这在许多时候是可能的，只须根据敌人部队的素质，指挥者的个性，以及其战术的运用等而采用如下的办法：

1. 骄纵敌人。例如故意以战斗力不强之游击小队与敌周旋，使敌以为不要紧，而在敌人不防备时突然袭击之。

2. 麻痹与迷惑敌人。例如声东击西，忽南忽北，使敌捉摸不定，因而袭击其一点；又如派遣游击小队或小组用大游击队署名的标语或布告活动甲地，而大游击队则实行袭击乙地或丙地。

3. 疲劳与恐吓敌人。例如动员民众，坚壁清野，使进攻之敌饥疲不堪。又如将游击队分为数起，或派遣许多游击之小组，不时进袭驻止之敌，使之一夕数惊，发生疲劳情绪，然后选择适当之时机袭击之。若敌人虽多但素质不良，指挥者懦弱，则散播谣言，虚张声势，以增加其动摇，然后举行袭击。

4. 派遣间谍打进敌人驻地，取得当地人民及敌人内部士兵同情于我者，以作我之内应，便利袭击。

5. 使用游击小组及人民自卫队四处活动，使他处敌人固守一地，钳制可能应援之敌，使我在另一地之袭击易于成功。

以上这些都是以自己的动作变化敌人的情况，便于游击队的成功，虽不是一定有效的，然而是往往有效的。

第四，袭击前之侦察，这是首先重要的。侦察的内容，应该注意下列各项：

1. 敌人兵力多少，战斗力强弱，武器如何。如准备袭击驻止之敌，则须知道敌军配置情形，警戒情形，警戒情形程度，及其换班秩序等。

2. 附近有无其他敌军，兵力多少，可能增援的程度如何，运输速度，距离远近，电话电报联络情形，最低限度的增援时间，增援方向及道路状况，均须一一查明而考虑之。

3. 附近居民的情形。

4. 袭击部队达到准备袭击地点的大小道路及有无隐蔽接近地。

侦察上列各项，须以秘密而巧妙的方法出之。侦察愈详明，则袭击计划愈能正确。可能时顶好预先绘出一简易地形图，并将敌人配备标记出来。

第五，袭击的时间问题不外下列四种：

1. 在夜间，这一般是对驻止之敌，因在其他时间袭击不利而采取的。一则利用夜暗最能隐蔽接近敌人；二则夜暗冲锋，可以减少自己的损伤，并可扩大自己的声势，增加敌人的恐慌；三则邻近敌人夜间增援不易。因此游击队须经常注意夜间动作的练习。

2. 在拂晓，这一般也是对驻止之敌而实行的。即是利用夜暗行军接近敌人，而于拂晓时实行攻击。这在游击队离敌较远，或夜间攻击动作尚不熟习时，是袭击的最好时机。但冲锋开始，须在起床以前为宜。

3. 在黄昏，这一般也是对驻止之敌而说。在其他时间，敌人均比较注意。同时接近敌人的道路又较隐蔽，白天行军不成问题，或通过地区，可以伪装时，采用此种时间袭击之。在此种时间万一袭击不成功，亦可利用夜暗安全撤退。

4. 在白天，敌人运动多在白天，故袭击行动之敌，大都选在白天。游击部队欲最效果地袭击敌人，必须不丧失敌人正在行动中的机会，此种时间必须普遍采用。此种袭击多为伏击。如欲白天袭击驻止之敌，则须在下述情况下方可采用：（一）敌人素质甚差，不机警无工事，疏忽已极。（二）敌人根本不知道游击队要来袭击。（三）孤立无援之敌。（四）大雨大雾最易隐蔽袭击动作时。在这些情况下，白天袭击驻止之敌，也是可能成功的。

第六，必须保持袭击计划的秘密。袭击敌人虽有好的计划，若此一计划被敌人知道了，则不但一钱不值，还有遭受损失的危险，所以袭击计划之严守秘密是最要紧的。除了第二项所述，尽量利用抗日人民组成游击小组四处活动，以迷惑敌人外，还应该注意下列事项：

1. 袭击计划不应全部告知部下，只告部下以应知之事或分段告知之。（如在出发前行军中，及到达目的地以后。）

2. 对驻地人民及所请向导，均不应使其知道游击队袭击的企图。

3. 可能时在出发时先向假方向走一段路，然后折转向袭击目的地前进，这在敌人耳目不多之处可采用之。

第七，袭击部队的开进，下列各点是值得注意的：

1. 如有必须通过的河川及障碍地段，应于出发前研究通过方法及携带的器具。

2. 携带标语布告等。

3. 约定各种记号，例如开始冲锋记号等，并规定袭击不成功及遇特种困难时的集合场。

4. 行进中选择极隐蔽的小路甚至走没有路的地方。

5. 行进中保持极端的肃静，禁止说话与笑声，除侦察警戒人员外，其余队员均不准装红子。（只装暗子。）

6. 在行军纵队先头，派出少数便衣武装的侦察人员，担任直接的侦察与警戒。

7. 行进尽可能的快。

8. 行进中要有遭遇敌人的战斗准备。

第八，到达袭击目的地以后的动作，这是全部袭击计划中的重要关节，应注意的有如下各点：

1. 迅速在敌人警戒线外隐蔽集结，如果敌人还不知道切记不要惊动他，此时部队首长应迅即召集各分队首长，指示具体的攻击方法，在白天要引导各分队首长隐蔽观察敌人的配备，当面指示各分队的具体任务，如有可能，即以便衣侦察员不动声色地捕捉敌人的步哨，进一步察明情况。

2. 兵力大（一营以上）则将全部分成两路（不可隔的太远）实行攻击，兵力小则一起投入冲锋就行了。（一连以下。）

3. 派遣少数人枪在不易攻击的方面举行佯攻，钳制敌之一面，而以主力投入敌人薄弱较易冲击的一二点，但决不可平分兵力。

4. 在兵力优裕时，可派遣一小部埋伏于敌人可能逃走的方向，截断敌人去路。

5. 必须在敌人有增援部队的方向，派出少数人的警戒，并破坏其电话电报线及桥梁道路。

6. 准备攻击的位置，不应过近也不应过远，准备攻击的时间要尽量缩短，准备攻击的动作要尽量的快。

7. 夜间袭击要有很好的识别标记以免混杂不清。

第九，冲锋动作：

1. 冲锋开始应按照预定的时间方向道路，而迅速地突然实行之，如分几路冲锋则以主要之一路到达冲锋地点，所需要时间之多少来决定全部冲锋的开始时间，其他各路应向主要的一路取齐，以免敌人过早发觉。

2. 冲锋开始时不要作声也不要打枪，（就是敌人先打枪也不管。）也不要喊杀，而用刺刀梭镖大刀一下冲入敌人配置，实行格斗，迅速解决敌人，如果有手榴弹，应首先投爆炸的瞬间扑拢敌身而解决之。

3. 只有在钳制方面，可以少数火器射击敌人，而吸引起其注意力，以便突击方面迅速取得胜利。

4. 如敌人固守房屋，顽强抵抗，可实行放火烧屋，逼其投降。（只准烧其固守之屋不准乱烧。）或趁敌人混乱之际，从其他房屋攻入之。

5. 如袭击成功，敌人溃退，则担任埋伏截击之部队首先应努力堵截，此时突入部队，应不顾武器财物之缴获，除管理俘虏，警戒战场之必要部队外，其余均应跟踪追击，期于大量解决敌之有生力量，使敌无反攻可能，但在有增援敌人之疑虑时，则不应远追。

第十，袭击后的动作：

1. 袭击成功时，立即把部队集合，连同伤员胜利品等，带到通来路有阵地的附近集合，并以一部占领阵地防止敌人反攻。

2. 如残敌远逃，已无反攻力量，又无增援敌人的疑虑时，则袭击部队可在当地留相当时间。此时以一部工作人员担任分发缴获敌人之财物于当地贫民，帮助人民反对著名的汉奸，而游击队主力则选择有阵地的地点集合休息，绝对禁止自由行动。虽然如此，游击队主力一般仍不应在当地宿营，应移于离此若干里之优良地点宿营。

3. 如情况紧张，则应缩短处理后的时间，以便游击队能迅速的胜利的离开此地。

4. 关于处置俘虏，在离自己根据地，或抗日正规军不远时，则将俘虏全部押送后方，或交给正规军去处理，不然则问明情况，给以适当的宣传后，立即释放。严禁杀害俘虏，仅对民众痛恶的汉奸首领，可以在民众要求之下处决之。就是有时俘虏不愿跟着游击队走，亦只应解除武装，将他释放。须知杀害俘虏，只足增人战斗力，于抗日战争是完全不利的。但在释放俘虏时，要注意保守自己行动的秘密，为达此目的，应把俘虏事先放走，而把没有走的，关在一个房子内，使其不能达到游击队退去的方向。

5. 如袭击不成功，或袭击刚半，而敌人增援已到，应毫不迟疑的迅速撤退，如在敌人压迫下退出战斗，则应实行分散退却，同时以一部最精干的老游击队员，担任掩护。退却后的集合场，多应是先一天的宿营地或是预先指定的。

6. 游击队就是在无严重敌情下退却时，亦应伪装，例如先向假方向走若干里再折到真正要走的道路，用以迷惑敌人，失去敌人可能跟追的踪迹。

第十一，袭击堡垒寨子及土围子及城市。以游击队劣势的武器，去袭击堡垒寨子土围子或城市，只凭一般的战斗方法是不行的，这些东西是可以袭击的，但应注意下列的条件：

1. 最好在要袭击的城寨堡垒中，要预伏间谍，或有同情于游击队的人民兵士为内应，这种政治工作，游击队要经常有计划的做。

2. 选择敌人警戒最疏忽之点，利用夜暗，乘其不备悄然爬入，或在最危险之处，即是敌人最放心的地点，有时也是我们悄然爬入的最好场所，但这决不是经常的。

3. 如袭击被敌发觉，则以小部在他方向佯攻，吸引其主力，而以游击队之主力，从其松懈处薄弱点袭入之。

4. 在白天实行远距离的袭击，在可能情况下，可伪装敌军，乘机袭入之。

5. 在城堡附近的野战中，击溃敌人，跟踪追击，乘势袭入，这是最有利的情况，不应失此种机会。

6. 在抗日根据地附近的城堡，有时也在敌人薄弱的远后方，如果民众条件好，而游击队力量优裕时，可以采取围困爆破的办法，但必须在敌人孤立无援的情况下，才能采取此种办法。

第十二，扰乱或钳制敌人。扰乱是游击队战斗袭击战术的附属部分，但也是必要部分，目的在于增加敌人不安，减杀敌人威势，以造成我们消灭敌人，或逼退敌人的条件，其方法如次：

1. 在夜间袭击不成功时，则改变其任务为扰敌。乱叫，高喊口号，大声唱歌，四面打枪，都是方法，退去之前，可散发标语传单于空地上。

2. 在配合正规军作战，为了分散敌人兵力，使其胶着一地不能增援于他方向时，亦可采用扰敌方法。此时可将游击队分为若干起，轮番于黄昏夜半拂晓等时间，潜至敌人驻地附近，突然地射击与呐喊，使其惊疑不定，无法增援，或迟滞其增援时间。

3. 还有一种办法，就是虚张声势。其法是在敌人驻地附近多竖旗帜，多举烟火，即古人所谓设疑兵的办法。目的或在欺骗敌人，便于我方在他处之行动，或在恐吓敌人，增加其惊惶心理，此时我游击队，只虚与周旋，决不要进入严重的战斗，避免不必要的损失。

第三节　袭击行动之敌

上述十二条虽然说到了一般袭击战术的原则，然而主要的是说的袭击驻止之敌。游击战争取得最大胜利的时机，还以袭击正在行动中的敌人为多。所以游击队不应放弃一切当着正在行动而又条件适合的敌人的袭击机会。这种袭击按共性质都是遭遇战，但分埋伏与急袭两种。埋伏是预期遭遇的性质，但采取埋伏的形式。急袭是不预期遭遇而发生的，采取急袭的形式。前者是游击队重要的战术，故说明较详，后者是偶然情况，故只略为述及之。

第四节　伏袭（埋伏）

第一，埋伏是游击队有计划的隐蔽，配置于敌人必经道路的一旁，或两旁，待敌过时而突然袭击之。这种动作就叫做伏击，根据情况及配置的不同分为两种伏击方法：（一）是待伏，预先在敌人必经道路上埋伏好，待其通过而袭击之。（二）是诱伏，以主力埋伏好，而以小部故意示弱，诱至埋伏圈内然后袭击之。

第二，根据敌人战术部队素质及地形等各种不同条件埋伏。可以采取一侧埋伏，两侧埋伏，多面埋伏或重层埋伏等几种方法。

第三，埋伏的目的在于：（一）消灭或打击敌之步兵、炮兵、骑兵、运输队、征发队、汽车、火车、船舶等。（二）捕捉敌军单个或多个通讯员侦察员电话员采买员等，以搜集敌人之情况。（三）以埋伏截击败退之敌。

第四，埋伏首先要求明了情况，若情况不明，则或致落空，或反受损失，故埋伏前的侦察须周详明确，侦察应注意事项如下：（一）侦察方法，第一利用居民中同情于游击队的，使用各种方法去接近敌人，从敌士兵夫子口中侦出必要的情况；第二使用便衣侦察员接近敌人进行侦察；第三窃听敌人电话；第四捕捉敌之人员，从其口头或文件上得出消息。（二）侦察要求，主要的是敌人出发时间，兵力多少，将走道路，要到地点，行军力，有无特种武器及特种装备，有无辎重，行军中之通讯联络情形，行军时的特殊惯性等。（三）侦察的技术，以能隐蔽自己企图得到敌人消息为原则，侦察所得之消息，除对必须告知之人外，均应保守秘密以防泄露，必须记着不论在敌人后方，或抗日区内，随时随地都有敌人侦探潜伏的可能。

第五，伏击地区的选择。选择伏击地区，以利于发挥自己最大威力，不利于发挥敌人最大威力为原则，因之选择伏击地区时，应注意下列各点：（一）有良好的隐蔽，使游击队容易看见敌人，而敌人不易看见游击队。（二）有良好的地形使游击队便于出击敌人，而敌人不便于攻游击队。（三）埋伏地点附近之道路，须利于游击队退却，不利于敌人之退却。（四）埋伏地点须选在敌人一般行军警戒搜索正面以外。有时道旁虽有良好地形，如果过于接近敌走道路，则游击队埋伏时的隐蔽集结地，应选在更靠后的适当地点。（五）要有良好的观察地点。伏击最好是具备这些条件，但不是一定要这许多条件一一具备才能设伏。

第六，埋伏部队的开进：（一）时间不要过早，免得游击队久处埋伏中减弱其紧张性与慎重性，容易暴露企图，增大敌人发觉的危险。但也不要过晚，免得来不及布置埋伏。（二）行进路要隐蔽，宁可走小路，甚至走没有路的山地谷地。（三）行进时先头须派出伪装的便衣武装侦探，以任警戒，如必须通过住民地，顶好全体伪装，以保持行动的秘密。（四）到其埋伏地区时即应封锁消息。

第七，伏击实施。（一）配备兵力应按照游击队兵力大小，敌人兵力大小，及地形情况而定。通常以一小部（在全兵力百分之三十以下）占领险要地点，用火力钳制敌人，而以生力埋伏于出击地点，实行突击。有时应派出少数人枪，在有敌人增援顾虑的方向，或为便于撤退，而必须占领的掩护阵地上，担任警戒。（二）在袭击敌人大部队时，应放过其先头及本队，而袭击其后尾。此时如能以游击小组，于敌人先头部队之前方侧方实行扰击而抓住敌人，则更便于伏击部队之袭击。还可以预先设法，将道路桥梁实行某种程度的破坏，（泛滥淤塞，石头拦阻，将一般的桥变成不良的桥等。）加长敌人的行军纵列，使之不易首尾相顾。（三）如果是袭击敌人小部队，则可以堵塞其去路，截断其来路而全部消灭之。（四）关于开始出击的信号，各分队的具体任务，出击道路，何部首先射击等，均须预先详细告知各分队首长。（五）出击以前，须极端保持隐蔽肃静，不准吃烟，不准说话，不准随便探望。（六）战场观察，顶好能设立两个观察所。第一个设在通敌人来路十里左右的附近，并带着通讯员三四人，一律伪装担任观察，将敌人行军长短，兵力多少，警戒搜索情形，不断报告于游击队长，以便指挥者根据情况适时处置。这个观察所，须在敌人全部通过后，始得归回。第二个设在伏击地区附近，指挥者亲自观察，以便适时发出开始出击的信号。（七）开始出击的时间，要选择得最好，要能抓住敌人行进中一个最适于自己出击的时机，同时还须要全体队员绝对服从命令，不得自由行动，免致敌人事先发觉。（八）出击时的动作，要迅速猛烈，要能打敌人一个"措手不及"，很短促的将所有火器，一齐快放，跟着立即冲锋，迅速解决战斗，任何迟疑与犹豫都是不利的。

第八，战斗成功，立即集合部队，处置俘虏，收集战利品及伤员，以便迅速撤去。如只消灭敌人一部，则撤退更要快，以免遭受敌人的反攻，若有不能带去的笨重物品，一律毁坏之。

第九，伏击不可能或不成功之处置：（一）如刚出击尚未进入战斗，忽然发现敌人兵力过大，或被敌人预先发觉我之埋伏而早已占领阵地，出击毫无胜算，则应停止出击，断然撤退，以保存自己力量。这时候，需要指挥者之最高机断，与灵活的处置。（二）已经进入战斗，但遇敌人顽强抵抗，毫无胜利把握时，应亦终止战斗，决心引退。

第十，扰乱。有时目的不在消灭敌人，或伏击不能解决战斗，均可执行扰乱任务。其方法是用小部队分散数处，以火力杀伤敌人，扰乱其行军纵列，或于高山峭壁处，推巨石倒古木以杀害其人马。

第十一，伏击敌人单个或小数的传令兵，采买侦探等，则是游击小组或游击队所派出的便衣侦察员的任务。此种机会很多，不应放弃。

第十二，伏击骑兵：（一）敌骑的运动力和冲击力较大，所以埋伏时，应选择在森林或隘路（有时住民地也可以）敌骑运动不便之处而实行之。（二）集中火力杀伤乘马，则人马自易捕获。（三）如伏击少数敌骑，确有把握捕捉之时，可设置重层的多面的埋伏。（四）可以伪装居民，预伏某一村庄中，待敌骑进入村庄人马分散时，突然袭击之。

第十三，伏击汽车。埋伏地点应选在山谷谷地沟底转弯处上下坡处，先设置障碍陷阱，或埋置地雷，（束集手榴弹和迫击炮弹亦可。）使汽车到此，不得不停止，或被炸毁翻倒。而游击队则埋伏于附近隐蔽地点，主力则直扑汽车捕获其人物。如有护卫兵士，则须先解除其武装，再烧毁汽车。但被俘之驾驶人员及士兵，须注意争取，不要杀害。

第十四，伏击火车：（一）在转弯处，上下坡处，有高堤处，洼地，隧道口，都是埋伏的好地点。（二）方法：先卸松铁轨上的狗头钉，或拆散铁轨的一段，使列车到时跌出轨外。或在铁轨上隧道口上，用大石头大木头堆塞起来，以制止火车前进。而游击队则分为三部，一部占领阵地，预防列车上卫队抵抗，一部对车厢射击，另一部则准备进入车厢，收缴枪械，俘虏人物，最后放火烧毁车辆。（三）对装甲火车，则更应特别注意，因为它是移动的炮台，游击队一面不但预先卸松狗头钉，而主要是尽量用地雷炸毁之，待其倒坍后，再行出击。

第十五，伏击船舶：（一）游击队可以伏击的船舶，主要是敌人运输用的商船，或较小的内河炮舰。（二）伏击的地点，要在河岸上便于隐蔽之处，弯曲处，靠近我岸处。（三）伏击时游击队主要火器及兵力，应准备迎击船头，而以一小部截击船尾，准备敌船回头时用火力拦阻之，待敌船一到，即猛烈以步枪机关枪顶好是炮兵（若无炮就是大土炮松树炮也可以）一齐快放。（四）如是木船，则迫令其停止靠岸搜查其军械及资财。私船放还，并给船工以财物，官船则烧毁之。

第十六，伏击敌人征发队：（一）在敌人征发队尚未接近村庄时而伏击之，游击队须先埋伏于敌人必经的道路旁边，待敌一到，突然袭击而消灭之。（二）或在敌人征发队已进村庄，分向各家征发时袭击之。此时敌人分散，不能集合，最易消灭。若预先在村庄内伪装埋伏一小部，而以大部从村外攻击之，则收效更易。但村内埋伏的一定要等村外大部队先行动作，方免敌人惊逃。（三）或因时间不及，未能实行上述两项办法时，则可待其征发完毕，满载而归之时，在敌去路旁边伏击之。伏击成功后，所获财物，应交还原来被征发之民众。只有在民众自愿慰劳游击队情形，才可分取一部分，帮助游击队的给养。（四）但对敌人征发队无论何时伏击，均须以突然的动作，首先消灭其掩护部队方能达到目的。

第十七，伏击敌人运输队：（一）应选择隘路或道路狭窄之处。（二）若敌掩护部队的兵力较大，则可分游击队为两部，以主力向敌掩护部队战斗，吸引其向我，以小部夺取运输品或烧毁之。（三）若敌掩护部队较小，则首先消灭其掩护部，再夺取其运输品。（四）伏击敌人运输队，一般原则，须先射击其先头，使运输纵列发生错乱，夫子乱跑，道路阻塞，其次猛力消灭或驱逐其掩护部队再行夺取辎重。（五）若要防止运输队向后乱跑须先以小部截断其退路。

第十八，急袭。这是处置不预备遭遇的方法：（一）在行动中的游击队，可能遭遇行动中的敌人讨伐队，征发队或运输队，所以游击队在行动时，应经常准备这一着。（二）游击队行进时，应经常派遣便衣侦探在部队先头三五里处行进，以便遭遇敌人时能迅得消息，定下处置方法。（三）如遇小部队或兵力相等之敌，应即争先机，将游击队迅速转入于敌人侧面，而突然向之开火，猛烈冲锋一鼓消灭之。此时若敌溃败，又无其他敌情顾虑时，则跟踪追击将其全部消灭，但追击不应过远。（四）如遇大部之敌，或情况不明，则以毫不迟疑迅速引退，脱离敌人为原则。如敌首先开枪，则我应以小部占领阵地抵抗，掩护主力先撤，掩护部队随后撤走，避免损失。（五）总之，突然遭遇敌人，要有最快的决心，或打或走，不可迟疑，迟疑不决，是危险的。

以上十八条，都是袭击行动敌人的方法，抗日游击队应该加以研究。

但一切战术都以适合情况为原则，文字条文仅能作为实战的参考，不能死板应用，抗日战争中一定有许多新的可贵的经验，胜过过去文字条文的东西，希望大家共勉，战胜日本帝国主义。

第五节　伏袭敌人运输队之简略计划例（想定）

一般情况：

1. 敌我主力在东冶镇南端相持中。

2. 敌有击破东冶镇之我军，顺势进占河边村忻县一带之目的。

3. 我主力军有消灭东冶镇南端与我对持之敌，进占五台县之任务。

4. 我独立游击大队（是由主力派出的精干部队，人数一四〇，机枪三挺，步枪齐全，弹药充足）有配合主力作战——破坏敌人的交通，截击其辎重，使之孤立无援，接济困难，便于我主力军之战斗，造成战役上某些优越条件，以配合主力军消灭敌人。

政治情况：

1. 五台一带，自敌占领后，敌兵奸淫掳掠，烧杀捕逮，当地人民恨之入骨，曾经不断的组织义勇军，反抗日本强盗，民众极盼国军恢复该地援救他们。

2. 敌军内部矛盾百出，士兵离家日久，思乡心切，反战意识普遍于其下层，在连续不断的战斗中，屡遭重大的牺牲，敌兵战斗情绪，极其低落，其最近补充于前方者，多为日本国内第三期的后备军，老弱者占半数。

3. 我军士气旺盛，团结巩固，均有誓死恢复失地之决心。

4. 我战士体力强健，第二三排多是经过长征的老战士，第一排一半是老战士，另一半是五台、平型、盂县前来援助的新战士，对五台一带的地形非常熟习。

5. 各排都有一个共同的特点，即善于爬山及夜战，攻击精神极度强盛，勇敢坚决，迅速敏捷，抱有誓死奋斗的决心。

局部情况：

某月某日下午六时，独立游击队到达李峙，于下午九时接得由豆村前来之便衣侦探（是侦探网中之侦探证明确实可靠的）报告：

1. 五台县城驻有日军一大队（等于一营），并有粮台兵站火药库在城内，城之四周筑有碉堡及野战工事，并附有铁丝网与地雷，戒备甚严。

2. 豆村有敌交通站，守兵约一中队（等于一连），豆村四周，筑有野战工事及铁丝网。

3. 本日下午五时，有由五台山运来之辎重，驮马百余匹，大车廿辆，护送兵约一排，辎重内满载弹药，现金，西药，汽油等物品，拟于明早六时向五台县继进，接济前方，闻敌前线弹药，汽油，补充甚为困难云。（此

情况是由我之间谍，替敌人运输辎重者，口头密报于侦探网者，故此种情况极为确实。)（插图十四）

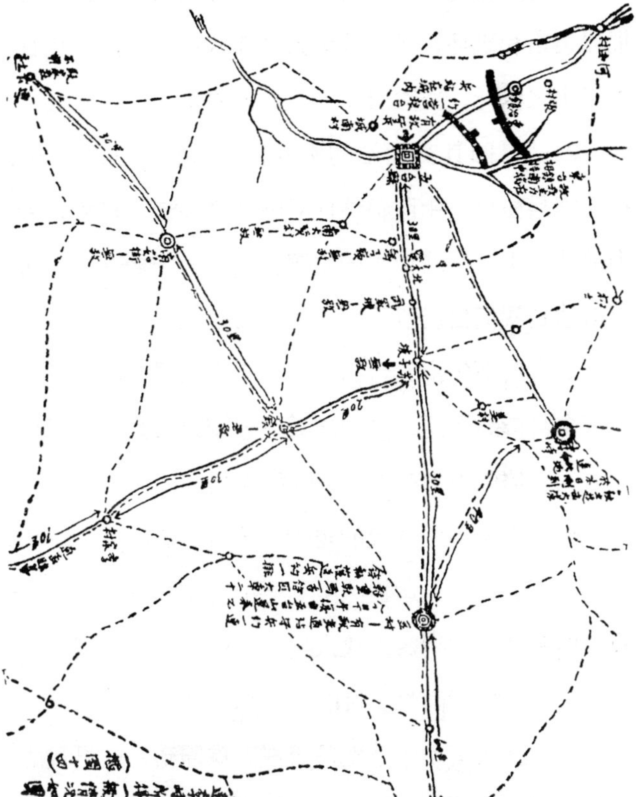

游击队长接得报告后作如下的判断：

从完成自己任务方面的判断——

1. 五台县有敌兵一大队部，并有敌兵站粮台，倘能加以袭击和破坏，可直接威力其作战后方，但该敌有坚固工事之依托，凭险固守，我兵力薄弱，势难摧破。

2. 豆村因其交通站的重要，筑有野战工事以资保护，守兵虽只一中队，估计对阵地之袭击，在敌我势均力敌情况下，必费极大的手续，与部分的牺牲，有时还不能达到我们自己所预定的目的。

3. 本日下午由五台山方向运来之辎重，明早必继续向五台县前线运送，其护送兵只一排，我兵力约可超过敌人的三倍以上，有充分战胜敌人之把握。

根据上面各种情况的逻辑，故以袭击敌人运输队为有利，因袭击敌人运输队虽不能绝对的配合我主力军作战，但仍然可达到截击敌人辎重，破坏敌人交通，削弱敌人，使敌接济困难之目的。

同时在敌运动中搜索及警戒万难周密，如果我能适切利用有利地形，突然袭击，极容易收得效果，本身亦断无过大的牺牲。

从敌我力量的对比上的判断——

1. 敌内部反战厌战情绪极高涨，且多老弱，在突然袭击下，容易奏效。

2. 我军多是老战士，部分是当地农民，抗敌救亡情绪极高，战斗动作纯熟，地形熟习，利于我军之袭击。

3. 敌之兵力约一排不过三四十人，机枪最多是二至三挺，估计其一排兵力，护送行军长径约一二〇〇米之辎重，其掩护方式，或以两班在前，一班在后，或以一班在前，二班在后，最大限度集结之兵力约两班。

敌人明日从豆村继进，会不会增加兵力护送，根据一般的估计，增加兵力护送的可能性，是很少的。

因为豆村是敌人的交通站，有电话，电报，小无线电，骑步通讯班，飞机信号及通讯所在，该地掌握五台县与五台山之间的枢钮，关系于战争甚大，为保障他本身的安全计，决难抽调兵力护送运输队。

万一勉强抽调兵力护送至苏子坡，估计他可能抽调的兵力，最大限度不过一个排，假定他真的增加一排人护送，则其兵力之总和，不过二排，约六十余人，机枪四挺而已。

我有兵一四〇名，更附有轻机关枪三挺，依靠于有利地形，完全有把握消灭敌人。

从地形上的判断——（参阅地图所得与由向导口述的）

1. 李峙，苏子坡，豆村，五台山之间，尽是山地，并且这种山地有几个同北方高原不相同的特点：

A. 山势险峻，小道甚多。

B. 山顶多尖突，没有形成平原，且多凹道隘口。

C. 山上森林浓密，利于隐蔽，运动及埋伏。

2. 由五台山至苏子坡间之道路，虽可通大车，但非汽车道，机械兵种不便运动，在苏子坡附近，很多凹道及森林起伏地，便于设置埋伏，便于安全的撤退。

从时间上的判断——

假定敌人由五台县或豆村来增援，苏子坡遭受袭击的运输队，究竟需要多少时间，必须来一个确实的计算：（计算增援时间，应以埋伏地苏子坡为基点。）

Ⅰ. 由五台县至苏子坡约卅里，由豆村至苏子坡亦卅里，可能增援的方向，只有五台县和豆村，其他超过一天行程的敌人则必不顾虑。（因此地无交通路及交通工具可利用。）

甲、估计从开始袭击到战斗终结，最多不过卅分钟。

乙、处置战后一切事宜，需时十至廿分钟。

总计约需五十分至一点钟。（这是根据最慢的时间计算，动作迅速的游击，只须卅分钟即可解决战斗和处理战后事宜。）

敌遭受袭击后，有两种方法请援：

A. 利用无线电话或将电话机挂于电线上，向各方请援。

B. 由被我击溃后之潜逃兵士，回返报告请援。

以电话传达消息，约四小时可到达苏子坡增援。

以逃回报告之溃兵传达消息，约需七小时才可达苏子坡增援。（以上两种的计算，是以每小时九至十里之速率，加上部队集合受命之时间。）

从各方面的估计，我们是有充裕的时间，来解决敌人的。

Ⅱ. 敌人什么时候才出发呢？这当然不能绝对的估计正确，不过据一般的估计，大概是明天天亮起身（早六时左右）。因为他们今天由五台山出发，走了六十里山路，一路上人困马乏，一定是在豆村宿营，恢复疲劳。

预料敌人明天的出发时间，也不会很早，也不会在夜间移动，因为夜间山地崎岖，运输不便，同时恐遭我游击队之袭击。

倘敌六时出发，约十时左右可到达苏子坡附近。

我军应在拂晓前配备完毕，免致被敌发觉，贻误事机。

决心：

在苏子坡附近，寻找有利地形，设置埋伏，截击敌人之运输队。

处置：

1. 决定本队今晚仍在李峙宿营，速令部队吃饭后睡觉。

2. 对豆村方向派出必要之警戒。

3. 封锁消息。

4. 请向导调查道路（特别是小路），地形。（适于埋伏的地形。）

5. 向豆村方向派出侦察。

6. 召集干部会议，商讨袭击计划。

7. 实行政治动员，保证袭击计划之彻底完成。

8. 作详细的报告，派得力的同志，送达我主力军与主力切取联络。

9. 准备必要之器材——破坏器材，燃烧器材，适合于白刃肉搏的武器等。

游击队在开进前，队长或指导员，应集合部队作短时间的讲话，内容包括：

1. 坚定队员的胜利信心的条件。

2. 保障袭击计划，完成的方法和注意事项。

3. 防止不正确的倾向。

讲话完毕后，即检查服装，（以不发生音响，不发生反光，着装确实为适宜。）检查武器，（枪支子弹手榴弹，携带齐全否？检查枪支不要装子弹以免走火。）器具，（如认为有必要时，可减轻部分的服装。）派出夜间的直接警戒，作周到的行军计划。

补充情况（一）

游击队于早一时出发，四时卅分到达苏子坡北端，接得前面侦察组回报说：

豆村方向无敌，苏子坡民众尽在睡眠中，此处有凹

道一段，十分险要，路旁有森林谷地甚多，地形复杂。（如图十四）

判断：

此处之凹道十分险要，倾斜急峻，敌不容易展开，森林浓密，可资隐蔽我埋伏之部队，地形复杂，使敌之搜索增加困难，更增大我之埋伏效能。

时间是快要天亮了，为了秘密自己的企图，须在天亮前配备完毕。

决心：

就在此地设置埋伏，以待对立方式。夺取敌之辎重，破坏其交通。

处置：

1. 叫通讯员请各排排长及轻机枪班长去侦察地形。

2. 部队在凹道西端，高地后集结，告知指导员，利用此种时机，进行宣传鼓励工作。

3. 派出对豆村与五台县之侦察警戒。

补充情况（二）

五时队长率各排排长，侦察地形完毕，所得地形之概略如图十四。

判断：

关于敌情——

敌情同前，暂时无变化。

关于地形——

1. 凹道很长，敌进入后，即不易展开，特别是道路的左边，完全不能攀登，倘能封锁其入口与出口，势必将敌全部消灭于凹道内。

2. 凹道的右边，有很多森林，可作部队的隐蔽地，出击距离亦不远。

3. 有许多高地，可发挥火器的效力。

4. 有适当的指挥所，可以直接掌握部队。

5. 万一不成功时，可以利用复杂的山地，安然撤退。

关于时间——

现在已经到早上五点钟了，还有一点钟就会天亮，我们为了秘密，所以应在拂晓前配置完毕。

决心：

即刻在此布置埋伏。

处置：

甲、率领各排长到达各该地点，授以各排排长各别口述命令。

乙、叫通讯员告知指导员部队，在原地不动，静肃隐蔽待命。

命令　× 月 × 日 × 时 × 分于 ××× 地

1. 甲、一般情况同前。

乙、敌运输队驮马百余匹，大车廿余辆，掩护兵约一排于昨（× 日）日下午到达豆村，估计今日仍继续向五台县前进，十时左右，可到达苏子坡。

2. 我游击队为了配合主力军作战，达到截击敌人，夺取其辎重，破坏其交通，决以待伏之方式，消灭该运输队。

3. 甲、第一排排长你率领你排，附轻机枪一挺，位置于甲乙二高地之间的凹地森林处。尔后以部分的兵力占领甲高地，大部应突击敌之先头，务须彻底解决敌人。

轻机关枪应占领甲高地，适当的火力点，向敌先头武装部队发射，掩护第一排之突击，必要时应以极高度之火力封锁敌之出口。

乙、第二排排长你率领二三排，缺第九班，附轻机枪一挺，位置于乙丙高地之间凹地森林处，以后顺凹道以强烈之突击，消灭敌人之掩护部队，并夺取其辎重。

轻机枪应占领乙高地边沿，向凹道内敌人武装部队发射，掩护二三排的突击，另附手榴弹投掷手三名，归轻机枪班长指挥，各携带手榴弹六枚，以消灭轻机关枪不能射击之死角。

丙、第三排排长你率领第九班，附轻机枪一挺，特等射手投弹手各一名，位置于丙高地凹坑里，尔后以火力射杀其后尾掩护部队，并相继突击，务期消灭该敌。

轻机枪应占领丙高地凹道边沿突出部纵射凹道内敌之后尾，部队掩护第九班之出击，并须以极高度之火力封锁其归路。

不能战斗的非战斗人员一律归管理班长率领，位置于二三排后六百米达处，不动待命进退。

4. 甲、通讯联络之信号看我手旗指挥：

（1）红白旗左右摆动——各部队同时出击。

（2）红白旗左右交叉不动——战斗终结部队集合。

（3）红旗一面高举不动——各部队迅速追击。

（4）白旗一面高举不动——各部队迅速撤退。

（5）其他……

乙、一般防空防毒的信号，如过去一般的规定。

丙、各部队均须向指挥所派出的观察员取得确实联络。

丁、意外事变的紧急集合场，第一个在姜村，第二个在李峙。

5. 埋伏时我在丁高地四根树处，袭击时我在乙高地边沿，我的代理人第二排排长。

——完结——

——参阅配备图解（插图十五）

补充情况（三）

十时廿分队长亲自看见敌人驮马，大车，武装部队，全部进入凹道内（埋伏圈内）。

判断：

敌人进入埋伏圈内，应即刻出击。迟则武装部队将超过甲高地。

决心：

即刻出击。

处置：

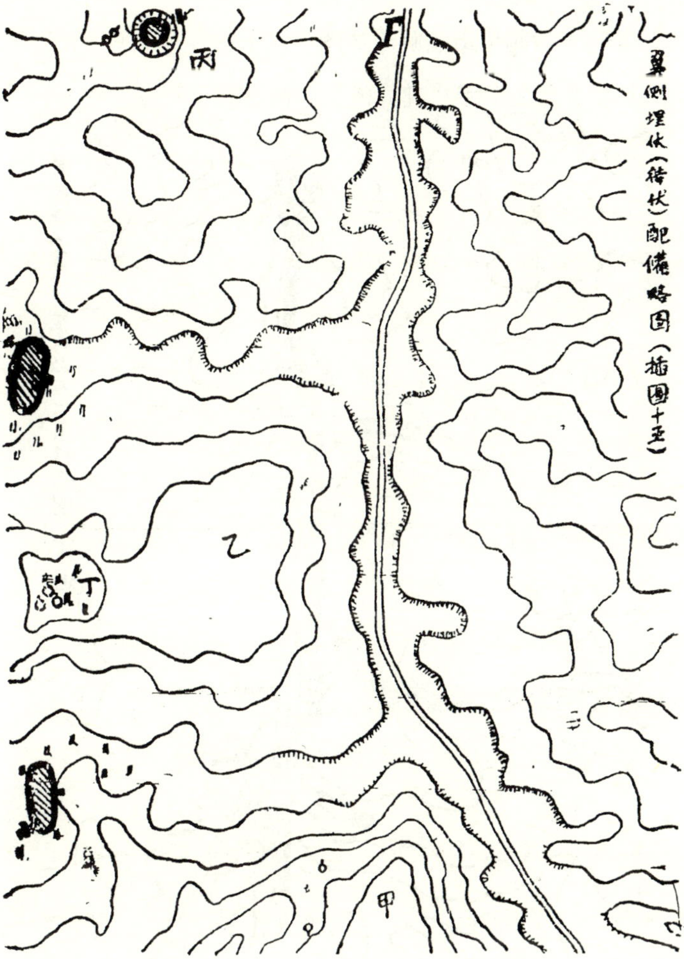

翼側埋伏（待伏）配備略图（插圖十五）

发出急袭记号——红白旗左右摆动。

——参阅出击图解（插图十六）

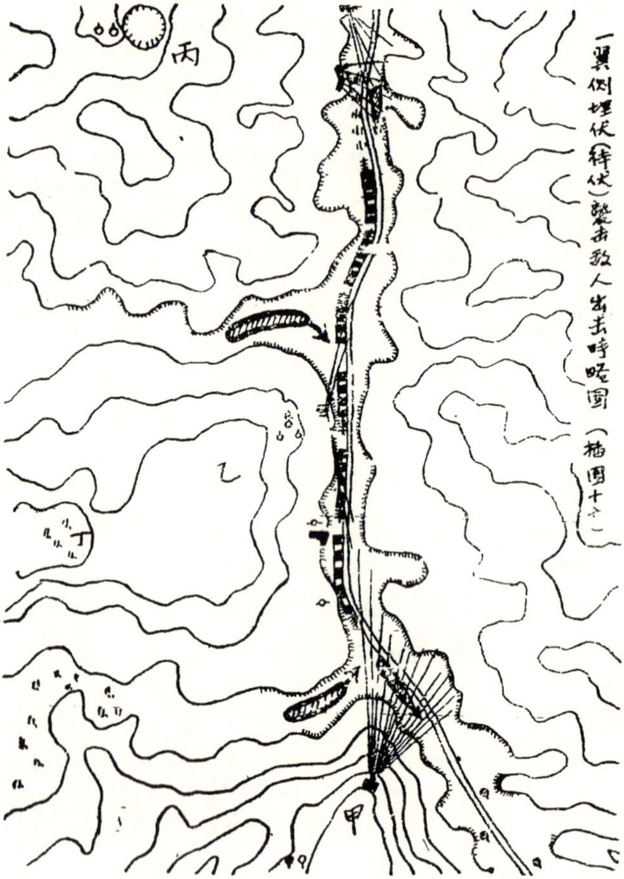

补充情况（四）

十一时，队长亲自看见，敌人大部被俘虏，小部被射杀，所有辎重均被截获。

判断：

敌人全被解决，物品悉数截获，我三目的已达，任务已告完成，无再在此处迟延的必要。

决心：

秘密迅速引退。

处置：

（一）集合部队，清查人员武器弹药，伤亡与消耗数及缴获胜利品之数与种数，（大概的清查不件件清查。）

（二）处置伤员俘虏及胜利品。

（三）派出破坏组对敌交通路及电线加以破坏。

（四）派出掩护引退。

第十一章　破坏

第一节　破坏目的与破坏手段

兵器愈进步，愈使各兵种笨重起来。兵器装备较进步的国家，交通路就是他作战的生命线。脱离了交通路，会使其一切技术兵器，无法施展其伎俩。根据几个月抗战的经验，日寇作战，一般的很少离开交通路。

游击队在配合主力作战的条件下，实施破坏，成了很重要的手段。

实施破坏有两种目的：一种是对敌人的兵站仓库，建筑物，兵工厂，储油池，及有关军用的矿业的破坏。另一种是对敌人的交通路，交通工具，通讯工具的破坏。

实施此种破坏时，应注意以下事项：

1. 熟知当时的情况与地形，利用一切可能隐蔽的方法，突然的破坏，使敌不及应付。

2. 分出工作队及掩护队。工作队实施破坏，掩护队位置于敌可能增援的方向，以抑止敌人。有时为要彻底的破坏起见，可采取必要的手段，以达到强迫破坏的目的。破坏队与掩护队之间，要保持密切的通讯联络。工作完毕后，即照约定的信号，通知掩护队飘然引去。

破坏有两种手段：

1. 爆破是破坏中最迅速最确实的手段，使用之时最多，但使用之当否，与使用之目的如何，关系于战争甚大。所以在破坏作业之前，须十分明了，确认为爆破之必要时，再行实施。

爆破之目的：

A. 爆破敌军作战区域内之交通网。

B. 爆破我军作战区域内不欲被敌利用的交通网。

C. 在运动防御或守隘口时，扫清射界，破坏易被敌利用之障碍物与我阵地位置附近的明星目标，免致被敌机轰炸，及炮兵射击。

D. 装置地雷于敌必经的道上，爆击敌人的车辆，迟滞敌人的前进，给敌以损害。

2. 人工破坏，是一种比较迟慢的手段。这种方法，往往被游击队所采用。因为此种人工破坏，是每个人都能够作到的，不要很多的器械，不要很高的技术。不过这种破坏，只能适合于小的破坏。实行大的破坏，则要很长的时间，非一个小的游击队所能达成任务的。人工破坏最主要的手段，则为火烧和摧毁。此两种手段，究应采取何种为适切，当视破坏的目的而定。

第二节　对汽车道铁道桥梁与普通道路之破坏

破坏汽车道：汽车道之破坏，通常是寻找其难以修复的桥梁处，转弯处，上下坡处。破坏桥梁，可按照破坏桥梁的一般要领；破坏路基，可挖毁路基之一段，主要是其上下坡处。

如图：当敌汽车或装甲车，坦克车，通过于 d 点时，其车身之重点，趋向于前方，同时又因磨托之滑力，势难停止其前进。俟过 B 点时，其速度更加增大。以其体重与速率之和，而冲撞于 AC 之直线上，势必全部撞毁。

如为毁灭敌之坦克车计，则应装置地雷于 AC 之直线上，待其碰炸而将坦克车炸毁。（插图十七、十八）

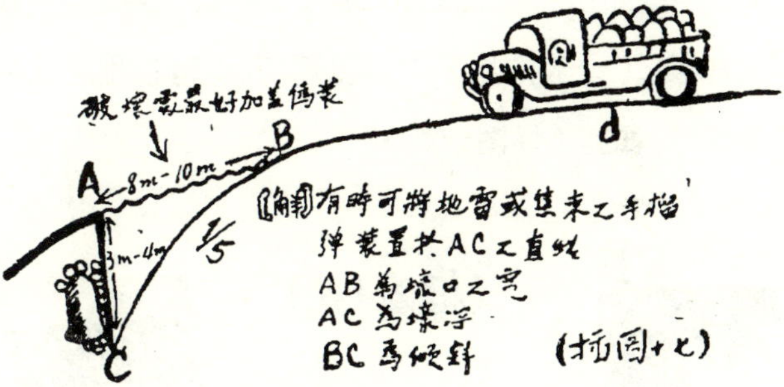

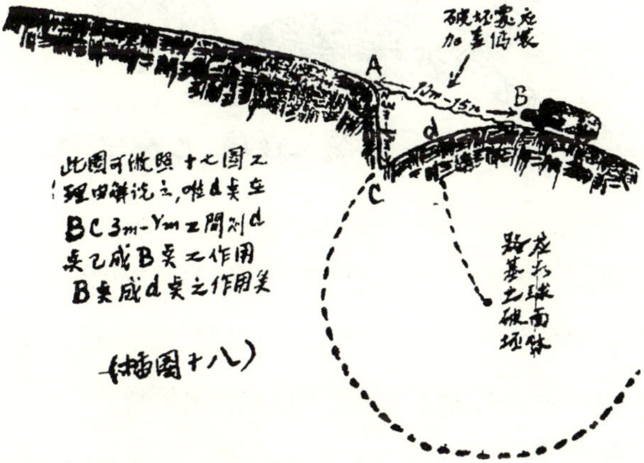

选择于隘路凹道上之破坏法：

如隘路的两旁是石路，可将 A a 或 B b 之中间三至五处，凿成如葫芦状之窟洞，填以黑色药，装置导火线，引火爆发。（一般的均采取过量用药。）可将隘路填塞，达到破坏目的。（插图十九）

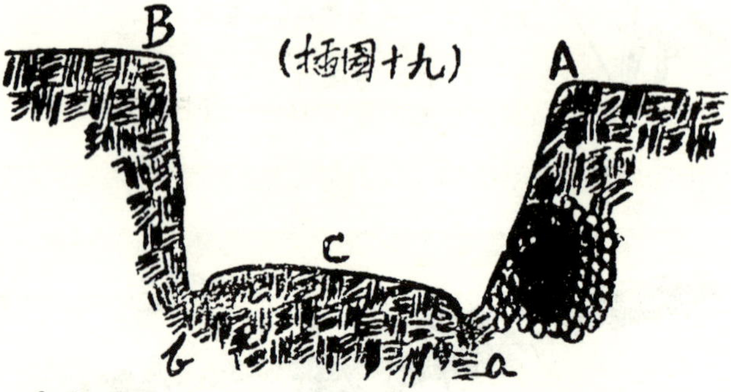

【解】Aa；Bb 爲隘路之邊緣，C 爲路基

如隘路两旁是土路，可用工作器具，挖土填塞。填塞时，要注意填塞隘路之中间，最好是三至五处。填塞之积土，务须不要使之成四十度以下之倾斜。

如隘道之两旁，成 V 之形状时，则在 d 处，挖下地洞，填以黑色药，以爆破之，其效力可将全部路基毁

灭。（插图二十）

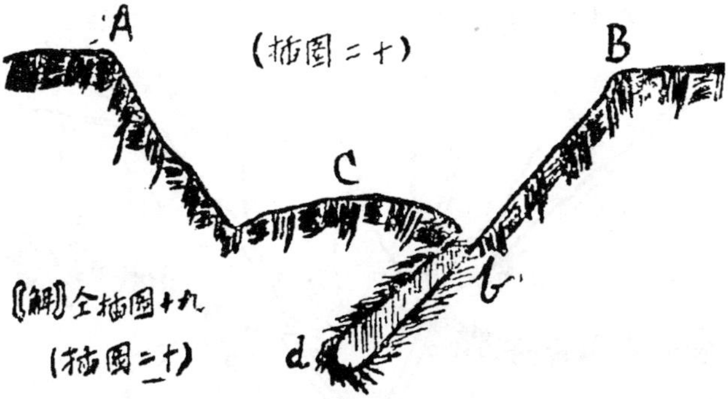

对铁道之破坏：实施大规模的铁道破坏，游击支队以上的指挥者，应正确估计一般的情况，区分掩护队与工作队。此掩护队应距工作队三十里之距离。其配备如图：（插图二十一）

掩护的任务，在迟止敌人前进，掩护工作队之安全作业。

掩护队为了达到他迟止敌人前进的目的起见，应多方采用积极的手段：设置埋伏，拆毁路轨，安置地雷阻碍敌之铁甲车及列车之前进，消灭其增援部队。

工作队应寻找不易修复处，实施彻底的破坏，具体

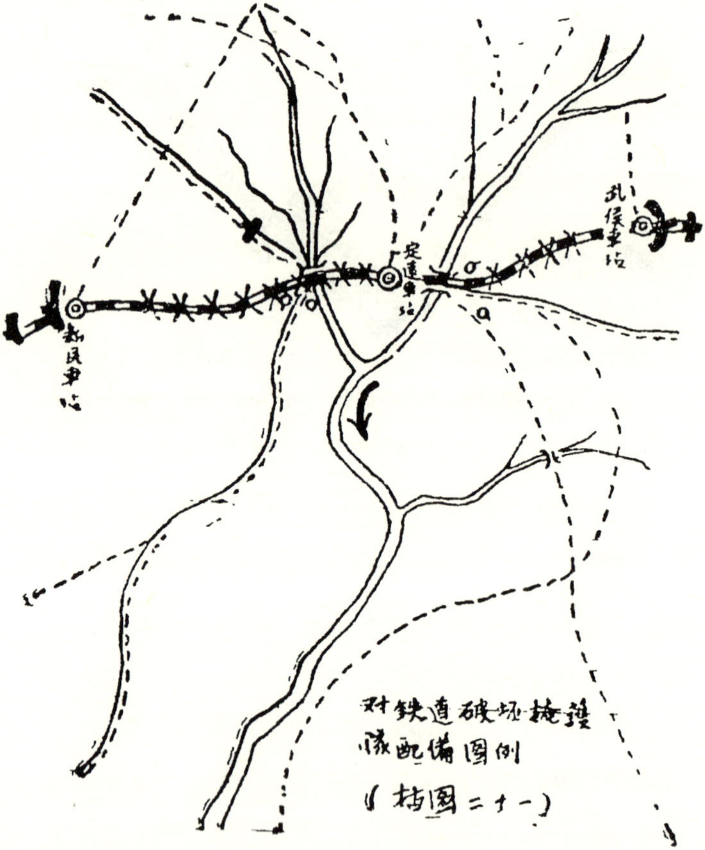

对铁道破坏掩护队配备图例

（插图二十一）

办法如下：

A. 铁桥破坏，首先要研究其建筑那里最坚固，那里最脆弱，那里是桥的重心点，桥的形式是那一种（平形、弓形……）。然后计算爆破之方法。

B. 绑炸药的地方最好是桥的重心点，上下二处不要成直线要成斜线，这样才能使桥梁爆炸后陷落下来。

C. 以黄色爆炸药缚于铁桥之铁轨上，首先炸断其铁轨及桥梁。（如无黄色药以资爆炸时，先拆桥之中央铁道之轨条。）

D. 或将桥脚挖空，装黑色药填实，以导火线，引火爆炸之。

E. 对石桥之破坏。最快是从石桥缝口略为凿大，填以黑色药，引火爆塌，爆处应在桥的中央。长桥须爆塌几段，短桥须全部爆毁。没有火药时，要尽量发动群众挖断，免致被敌利用。

F. 对木桥之破坏通常用火焚烧。

G. 车站上一切物品，必须彻底破坏。（注意通讯工具最后破坏。因此时我工作队，正需要利用电线与掩护队通讯。）如有无线电及军用器材在该车站时，应急速派出小部队护送，或发动群众，运往根据地。

H. 将车站之车头，及车厢沿铁道推入河中。

I. 在完成了上述的任务以后，估计在一天内，尚无敌人增援的可能时，游击队应向居民宣传，号召他们一致出力，将我们自己占领之一段铁道上之铁轨，完全拆毁，抛入河中。

J. 鼓动居民加入游击队，揭发日寇之罪恶，将携带不完的物品，散发于群众。

K. 任务完成后，以电话通知掩护队，采取平行道路撤退，至适当地点集中。如果为要截断敌人争取战役上之机动，则应依照上级的指令时间撤退。

实施小的破坏时，可以轻捷的游击队，携带适当之器材，利用夜间，利用敌警戒疏忽的时候，穿插于敌人之间隙中（即两个交通站之中间），迅速破坏，秘密遁去。破坏方法如下：

A. 拆毁路轨。应寻找其转弯处，将铁轨螺钉扭松，使各铁轨离开。但不要将铁轨丢弃。（插图二十二）

B. 在铁道上下坡处安置枕木。（注意枕木与铁轨相连处，要无过大之角度。枕木之另一端及两侧要奠以木

桩。)(插图二十三)

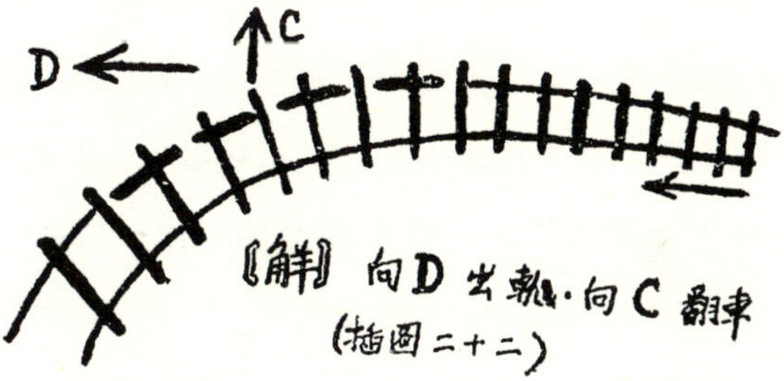

C. 在凸道上(两边是湖泽或水田)将道路之一翼挖空(注意挖空处之伪装)。装置触发地雷,以连贯式装置,俟车通过而爆炸之。(插图二十四)

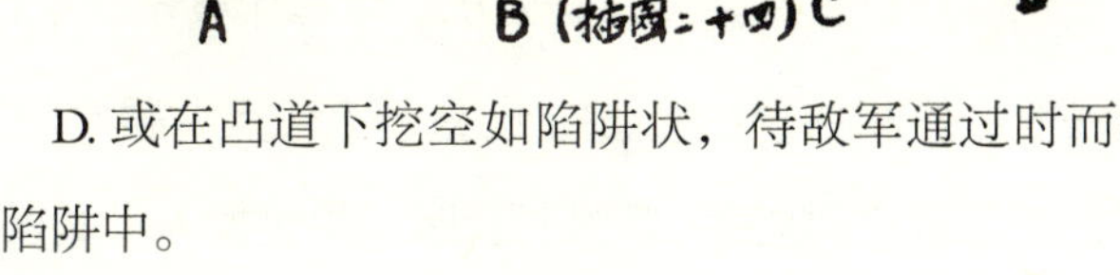

D. 或在凸道下挖空如陷阱状,待敌军通过时而落于陷阱中。

【解】当车头之重力压迫于A地雷上，A地雷受冲击而爆发。此时A地雷上之盖板（软性薄铁片或装火油之桶皮）被A地雷之爆炸，冲重3W（铁线）使B地雷之保险闩离开弹片，引起B地雷之爆炸。B地雷又如上之理由，牵动其C地雷和D地雷。以此方法可将铁路炸断，列车炸毁。此法亦可应用于隧道内。

E. 凹道或隧道内可用阻塞的办法阻塞其前进，平坦开阔地，无法破坏时，只有拆去铁轨与放水泛滥。

第三节　对通讯工具（电报电话）机械兵器（坦克车飞机）与兵站仓库之破坏

对敌兵站仓库军火工厂之破坏，通常用火烧。其方法派遣得力的同志，伪装民众混入于兵站仓库附近侦察，寻找易于接近之隐蔽地，待有利时机（通常是夜间起风的时候）携带硫磺，汽油，火油，松油等易于引火之物品，或以黑色药装入竹篓内（不要压紧），加入硫磺松油（研末的）混合起来，装置引火药点火抛入。（如有化学装置之燃烧手榴弹则更佳。）乘机抛入于兵站仓库内以焚毁之。

对占领单独建筑物顽强抗击之敌兵，亦可用此方法。（不得已时才采用，一般的是迫其解除武装。）

行此焚烧办法，事后要向群众多方解释战斗的意义。如果延烧了群众的房舍应设法赔偿其损失。

破坏电报电话，最好在架线通过河流或谷地的一段，要在离开交通路两个通讯所的中央，扼要剪断，电杆烧毁，电线携去或抛入河中。

有时对电线之破坏，为了不使敌发觉起见，可在电线的磁瓶旁，搭上铅丝引到地下或插入电杆上（电杆最好是湿的），则电流走散，电话就不通了。对被覆线，是把包皮割开，将里面的铜丝剪断，再用胶布替他包好，上面涂黑，使敌不易于发觉。

对坦克车之破坏可炸毁其司机室，化油器，油罐，分电盘及火花塞。

烧坦克车及汽车，先找车上的贮油箱。（多数在车尾部下方，或司机室下方。装甲车载重汽车的油箱都在司机室的下面。普通汽车，轻坦克车的油箱都在司机室的下面。）然后用竹筒盛以硫酸，并封口，放在盛满有盐酸钾的混合物的竹筒内。再将汽车油箱打开，放到里面。不要很久，盐酸钾混合物，受硫酸浸入起爆炸。汽油受热也起火爆炸，可烧毁全车。无盐酸钾混合物及硫酸的时候，可用香火头及火柴投入（注意危险）。如果坦克里还有敌人，须从外面破坏时，则需要用手榴弹从射击孔内投入，炸死其司机员。或用集束之手榴弹照准无限轨猛烈轰炸。如果要秘密破坏汽车，可以放些白糖于汽油缸内，不久汽车就会开不动。

火车头的破坏处，是破坏其锅炉，破坏活塞引擎，破坏安全盖，破坏机房。破坏方法：

A. 把计时通电爆炸药一千二百克绑于车前大轴上即可以爆炸。

B. 把略大而厚的煤块挖一窟洞装进炸药（有炸泡更好），然后用胶布封好，并粘以煤硝，使烧煤时爆炸。

C. 在车轴的油箱内放细沙一把，使火车行进时，摩擦生火，把油烧干，则就不能动了。

D. 在煤车上把炸药放在车的板壁与带水池部分，即可炸毁（需药四千克）。

对飞机及机场之破坏，最好是里面有我们的人。破坏的方法是用火烧。烧的火最好是甘油浸棉花少许，放过氧化锰少许，再将蜡融液一同放入搅好，使冷凝成块，表面包几层布，外面再接以硫酸管。硫酸浸出后遇到过氧化锰就会燃烧起来，蜡液流到那里，那里即起火。

用汽油瓶发火，也极猛烈，这种火具，要抛进飞机的司机室内为好。

其次就是炸弹把飞机的发动机炸毁。更简单的办法是打开汽油缸，放火种进去，或是将各处斫坏，或是将飞机尾部连接升降方向舵的铜丝剪断。（如飞机师没有检查，升空后不久即坠地。）

对飞机库，汽油库，飞机零件库，弹药库，电报室，电话室，都要加以彻底的破坏。

破坏的方法或是用火烧，或用爆炸。飞机场则发动群众挖毁，或以泛滥冲坏。

第十二章　通讯联络

第一节　通讯关系与信号

游击队是主力之触角，为要保持与主力之适切联络，配合主力军军人达成战斗任务，一方面是依靠于自身的积极行动，排除周围的一切困难，使本身的动作与主力军之动作互相遥应起来。另一方面是依靠于群众的帮助，组织通讯网，以备在特殊情况下（如在敌人四面围攻的时候），仍保持密切的联络，使分散活动于敌人翼侧和后方的游击队，在统一的号令下，行动起来，造成敌人四面皆敌，进退维谷的境遇。

游击队的通讯关系，大约可以分为两种：一种是与主力军之联络，另一种是游击队与游击队之间的联络。这两种的联络都有一个共同的工具，这个工具就是通讯网。

组织通讯网，一般的是利用同情于我们的民众，潜伏于各个乡村和都市。

组织的方式，直线式应如珊瑚状，依据道路（小道大路公路铁道）重要与次要关系，组织主干线通讯系统，及辅助通讯干线。横线的组织，以使各个通讯员（站）之间不发生遗漏为满足。

各个通讯员（站）互相间的传达，最好是利用旧有的通讯工具。（如电话电报等等。）如其不可能利用这些工具时，则应组织递传哨所，这个递传哨，通常由副通讯员担任。（即建立通讯网时之另一个通讯员，也可以称为副通讯员。）传达的方式是一村送一村，重要的情报，是直接传达。

通讯关系，原则上是下级向上级联络，游击队与主力联络，小游击队与大游击队联络，地方组织（如通讯网，地方行政机关，区乡村，公所，各种救亡团体等）向各武装部队联络。单关系，保持互相适切联络。（情况紧张的一翼向情况缓和的一翼通讯。）这些联络关系，只是例举一般的方式，在特殊的环境中，可以灵活自由，采取另一种的联络方式。

不过这里有一特别值得注意的问题，就是如果某一个通讯员因特殊事故（忽然急病，突遭不测等等）遗误了通讯职务时，则有将某种情况，停顿传送，致令游击队部遭受危险的可能。

为了免除这种意外的事变，可以同时采用补救办法，这个补救的办法是：将干草堆积在某些被另一个通讯员（站）容易看见的地方，在特殊的情况下（如报告不及，通讯者遇意外事变）点起火来，好像过去中国古时的烽火台一样，将一些紧急的情报适时警报我军。

如果这种的方法，不适合于白天的时候，可找些发烟的东西放置在适当地方如法燃烧，以浓密的青烟（二堆或三堆）代替报告，也能达到同样的警报目的。

有时一种的警报方式，容易被其他同样的事混淆（如人民失火误认为敌袭警之类），所以除烟火信号之外，要以音响信号（放土炮，打锣鼓），颜色信号（施放颜色火箭，以大红白色旗插于较高的地方，向后方警报），以补足之，避免不必要的误传。

以政权力量组织公开的通讯网，当按照区，乡村为单位。每一个市镇，每一个通路交叉点，渡河点，以及关隘，都要设置电话，保持联络。每一个乡村都要有固定的值日勤务人员，担任传达。（见山西省通讯组织。）同时应在救亡团体的号召下发扬民众忠于任务的积极性，奖励自动报告情况的分子，打击放弃职责消极怠工的分子。

在日寇武力密布之地区，通讯网应转入秘密组织的原则，一般组织法，可仿侦探网组织之要领。

第二节　技术通讯及其传达法

通讯网是我军主力与游击队联络的桥梁。能否在整个的地区上建立广泛的桥梁呢？一般的说是比较困难的，正因为如此，所以游击队的通讯手段，不得不采几种的方式，并且这些方式要适合在敌人后方侧方活动的景况。

1. 利用电话，电报，无线电讯，通讯鸽，通讯犬（如有的话），向主力传达必要的情况。

2. 急传。（如利用汽车，自行车，骑传，递步哨。）

3. 派出精干的小部队，护送，传达。

4. 利用几个同情的民众，授以相同的任务，分几条道路送传一个地点。

5. 利用游击队绕道潜行传达。（最好是几个人分道传达一目的地。）

6. 口头传达，由一个民众或化装的游击队员，口头面报，或用甲传乙，乙传丙，丙传丁等间接转达方式。

7. 特种传达。（如利用水流传送，风力吹送等。）

8. 夹带传达，这是在敌人检查较严，无法绕道的时候才使用。但也有使用于一般的时候，方法是将信件或报告，缝于衣服内，藏于货物中，写于身上隐蔽处。（到达目的地后再誊写出来。）

游击队报告和信件的书写方式要特别注意，因为这些信件都是要经过敌人所占领的地区，才能送到我主力军的，倘或稍有不慎，即有被敌发觉我之企图，和遭受敌人欺骗的危险。

书写方式通常不记载我之企图，送传地点，回信地点，更不需一定的报告格式。报告内记载之事件，可参阅战术报告及详报项。

1. 术语记载——将一般的信件方式，书写你所报告的事实，要使敌人发觉了，看不出真意来，我们拾得后，便一目了然。

2. 密码记载——以密电码一二四一、三二三一等数字写于报告上，收到后再译成原文。有关于军机的电话通讯，也可以采取密码谈话，避免窃听。

3. 药水记载——将化学药水，写于白纸上，干燥后即不现字迹，可避免一般的检查。

4. 技术记载——以写生画，漫画，等等方式书写所报告的事实（参阅《间谍史话》）。

游击队与游击队之间的联络，除互相派出必要的联络侦探外，次为借通讯网的关系取得互通声息。

如果两个游击队猝然相遇于道中，彼此都不十分确切明了。则两个游击队均应同时采取必要之手段，将部队隐蔽起来。但要注意不能妄自射击。第一步连用号音问答，或旗问答。大的游击队可以烟火信号联络。第二步是派出联络员，互相到彼一部队去，确切证实是否是自己部队。

第十三章　对付敌人的围攻与进击

第一节　怎样对付敌人的围攻与进击

在敌人后方的游击队，因为积极发展游击战争，发动群众斗争，破坏敌人的运送交通及其后方机关。这些动作都直接动摇日本帝国主义的统治，削弱与分散敌人对我正规军的进攻力量，因此敌人决不会放松游击队，敌人将依据游击队力量的大小与对于他们损害的程度，调动可能的力量举行对于游击队的围攻与进击，企图消灭游击队，保护他的后方。这种情形是游击队的领导者必须估计到的。游击队的同志，必须知道调动敌人的力量越多，证明游击队活动的成绩越大，给予我军的帮助也越大。同时可以明白游击队不但要有计划的袭击敌人，破坏敌人的交通与后方机关，还一定要有计划的战胜敌人的围攻与进击，如果游击队不能战胜敌人的围攻与进击，就不能组织发展游击战争，也就不能真正创立根据地，收复失地，发展自己成为正规军。并且要明白围攻与进击，将是经常发生的，而且有时游击队的环境将是非常困难的。只有战胜围攻与进击，战胜困难环境，才是游击队的彻底的胜利。在我军区域边境的游击队，因为他是主力直接作战的助手，所以敌人对付游击队，也是同他进攻我军及防止我军进展直接连在一块的。因此游击队对付敌人的围攻，也是直接包括在我们整个粉碎敌人进攻围攻的计划之内。游击队在我军总的任务之下执行自己的任务。

游击队指挥员，须随时估计到敌我形势，估计自己某一时期的活动会要引起敌人怎样的行动，敌人当时已有何种对付游击队的计划。（从敌人行动上看出来。）依据这些情况，作出自己对付围攻的计划。游击队作出自己计划时，必须依照下列的原则：

（一）争取主动地位，不让敌人占去先机之利。

（二）密切依靠群众动员与武装群众，坚决粉碎敌人的围攻。

（三）团结干部与战斗员，随时向他们说明敌我形势，反对因形势变动而发生不正确的倾向，准备最艰苦的战斗。

（四）坚决镇压汉奸，严防内部汉奸分子的捣乱。集中主力行动，不分散力量。在有胜算与避免无益损害条件下作战，巧妙机动的去战胜敌人。

（五）粮食金钱等物质条件的保证。

第二节　采用什么方法向围攻之敌作战

不使敌人前进就要去袭击敌人，打破敌人的进攻计划，当敌人不强大又无坚固的工事堡垒时，采用这种方式是最好的。敌人布置几路进攻时首先消灭其最薄弱者，这样的作战适用第十章第二节所述各种方法。

待敌人进到适当地点，在运动中消灭他。这样的动作中可以找到许多机会消灭弱小的敌人，扩大自己的力量。

但必须严格防止无胜算的计划的动作，同时又应记着灵动机警，不是无目的无计划的逃跑。

游击队必须有计划的对付敌人的长追进击。

敌人举行长途追击，虽则敌人的力量强大，也常常不能战胜本地生长的游击队。

因为这种游击队熟习地形与群众联系密切，敌人的长追进击，却常常用以对付远道新去不熟习情形的游击队，因此被强大敌人追击的游击队一定要有坚决的计划，巧妙的方法，去脱离这些敌人。首先游击队的领导者，要坚定自己的决心，并拿这个决心去团结部属，镇静地计划脱离这追击的办法，克服部属中的动摇情绪。（特别当遭受敌人的打击及行军疲劳给养困难时，这种情绪是容易生长的。）

游击队首长的领导艺术，也就最需要在这种特殊困难时候表现出来，这是第一件要紧的事。第二虽在被敌人进击中，行动时仍需极力接近群众。每天宿营，即坚决没收汉奸财产，发给群众，细心向群众查问附近及前方敌情地形，并尽一切可能沿途争取积极分子加入自己的队伍。从此他们中更加能了解情况：怎样依靠地方居民的手段，就同鱼得了水、瞎子得了光明一样。

用最好的隐蔽法（打圈子）走偏路，设假路标，突然由宿营地深夜移走，以及情况许可时，从隐蔽中绕道插入后面向相反方面行进，必要时采取伪装法（变换服式，有时假装敌人部队）并于必要时采取最强度的行军法。（如一天走百四五十里。）这些方法通常可使进击敌人忽然失掉游击队的行踪而不得不停止其进击，脱离了敌人进击之后，立即选定好的落脚地，争取群众拥护自己，开展游击战争，消灭敌人，这时游击队便又开辟了新环境。

游击队在确实查明了向自己进击的敌人是不强的汉奸武装或日军小部队的时候，就要精密选择适当的时间与地区，以埋伏方法给敌人以突然的出其不意的打击，来制止敌人的进击，这是对近敌采用正规战争的战术。这种战术的采用，应当特别谨慎：首先是察明敌情伏击其确能战胜之敌；第二是伏击的时间地区，都要恰合于当时的情况；第三要以很大的努力，提起全队的决战精神，在实现时要有最坚决迅速的动作，将敌扑灭于游击队所预定之地。不注意这些条件而轻率举行有决战意义的反攻，是不许的。

第十四章　后方工作

第一节　根据地的选择

有些人主张游击队不要根据地。他的理由是凡有一定的寄托地，就会引起敌人有计划的围攻，会影响于本身的安全，甚至于会失去他本身的突然性。

可是从许多事实证明中，恰恰是相反的结果。因为没有一定的根据地就会使游击队疲于战斗而无栖止之所，使粮弹消耗而得不到适当的补充，使伤病转徙而得不到适当的疗治。以致影响战斗，造成许多事实上的困难，终使游击队好像一根浮萍一样，任大海的波涛来去飘泊，始终得不到在某一个地区取得决定意义的胜利。

游击队的领导者，应该深刻的知道："游击队在今天对日的英勇抗战中，他所负担的伟大任务，在于逐渐的削弱敌人，实行持久的消耗战略，配合主力军进行大规模的战斗，求得最后的战胜敌人。”所以在他活动的范围，以及在他根据地的周遭，吸引敌人的兵力愈多，则游击队在整个战役中所收得的成效愈大，若是惧怕敌人的围攻，无法战胜敌人的围攻，基本上是否认了游击队配合主力军进行战斗的任务，根本不了解游击队的本身作用，根本放弃了组织民众武装民众的先锋作用。

什么地区才适合于游击队作根据地呢？我想原则上应该是：

一、a. 在政治上极大多数民众信仰游击队，拥护游击队，民性强悍富于斗争精神的地区。

b. 敌人的麻醉手段尚未深入，或在敌人残杀后，民气激昂的地区。

二、a. 在军事上武力薄弱或不及的地区。

b. 内部矛盾指挥不统一的地区。

c. 敌兵虽多，但估计无能为力以进攻我游击队的时候，如大战之后，新败之余。

d. 估计敌兵很难积极有计划进攻我游击队的地区。（如绵亘不断延长于几百里的山脉。）

三、地形上要能进可以攻，退可以守，远可以脱，近可以藏的地区。更具体说就是绵亘不断的山脉，河川关隘可资屏障，有大森林（高粱地玉蜀黍地也可以）溪谷零星村落可资隐蔽，有多数的山僻小道可资运动，有复杂的气候变化可资利用。

四、经济上要有充裕的物质资源,（日常生活必需品：粮食、蔬菜、油盐、布匹，工业原料：棉花、煤炭、药材、硫磺、硝石、金属矿等等。）这些物质资源最好是在敌人严密封锁下仍能自给。

怎样创造根据地呢?

第一要会利用时机——倘或这种时机利用得恰当，可以不费很大的代价，创造大块的根据地。依照现在的情况，就是一个极有利的时机，因敌人的兵力深入内地，后方联络线延长，其兵力较厚的地区，不过沿交通线（同蒲路，平汉路，津浦路……等等）伸展于黄河边沿，津浦南北段以及长江下游而已，其后方的空虚，比比皆是（冀察绥鲁）。倘该后方民众能及时利用此种时机，发展广泛的游击战争，创造大块的根据地，牵弄敌人的兵力，配合主力以进行战斗，必使敌人陷于进退维谷之地位。对整个的战略关系上，配合正规军的战斗，诚不可限量。

第二要会组织民众——游击队的武装是有限的。专凭自己武力去与强大的敌人搏斗，是不应当而且是不够的。所以他要学会号召群众，组织群众，武装群众，瓦解敌人，说服同盟者的宣传技术与民众建立极密切的联系，将民众的力量使用于某一战役上，建立于有民众基础的稳固根据地。

第三要以战斗来开辟根据地——游击队发动的初头或正在蓬勃生长的时期，往往遭受敌人武力的摧残。（特别是由暴动中产生的。）倘若没有一个适当的办法战胜敌人，会将已发动的群众斗争镇压下去，使群众的抗敌情绪低落消沉，表示失望和灰心。

这里就需要游击队领导者的艺术，能够抓紧敌人每一个毒辣的事实和欺骗的手段，尽情宣布于群众之前，激励他们的勇气，指示斗争的出路，和屈服的危险，领导更坚苦更残酷的战斗，从不断的艰苦斗争环境中，壮大与强健自己的力量，创造根深蒂固之根据地。

第二节 根据地的各种政策问题

武装与政权问题：

在日寇后方和翼侧，应该鼓励与援助人民和一切抗日的组织自动的拿起武器来，组织队伍，和日寇拼命，进行抗日游击战争。这些队伍，必须尽可能的统一在当地的华北的以及中央的最高军事指挥机关的直接指挥之下，并且执行最高政治机关以及中央所规定的政策，各级军事指挥人员要尽可能由上级委任和批准。

在日寇的后方和翼侧必然产生一些土匪出身的，以及其他的抗日武装部队，这些部队一方面是抗日的，但是他们的抗日或者不是为了救国，而是为了发财升官或其他，因此他们不能执行中央所规定的政策，并不能接受中央与华北甚至当地最高军事指挥官的指挥。对于这些部队，应该联合他们抗日，同时还应该争取他们来救国，争取他们服从中央的统一指挥和统一领导，但是必须忍耐的说服他们与争取他们，切实避免在日寇的后方与他们发生恶感和冲突，以致被日寇利用。

在日寇的后方和翼侧，应努力保护与恢复我们的地方政权，这些地方政权，应该努力实行与目前中国同一样的制度与政策，主要的行政人员由上级政府委任或批准，即使在游击战争的特殊环境下，政府的组织与行政方法，需要一种的变动，但是必须尽可能的呈报上级。（如在县政府中增加人民武装部或军事科粮食科，在区乡公所中加强其工作能力等。）

必须使这些地方政府与人民密切联合，采用动委会或咨议会参议会等，使人民代表与政府有经常的融洽，使政府能够依靠人民而人民也能够监督政府以及参加政府所提出的各种战时工作。

财政政策：

在游击战争的环境中，要建立经常的有秩序的捐税制度，是不可能的，只有在已经建立起政权与有秩序的根据地中才有可能。若干种的经常捐税，为了补充抗日部队的给养及其他费用的开支，在保持政府财政统一的原则下，征收一些捐税是必要的。过去的捐税，有些合理的能够征收的，应该继续征收，而另一些不合理的就只得取消或改变，某些税则的重新规定是不必要的。根据有钱出钱的原则，使有钱的人负担增加一点，贫苦人民的负担减轻一些，这对于团结人民坚持抗日是有利的，但是无限制增加富人的负担，是不应该的。

政府的财政应该尽可能由经常的捐税征收中来取得，临时的捐款或派款，只有在十分必要与人民不反对时才可实行，而且一次不能派款太多。

抗日武装部队，所需要的粮草，在有我地方政府的地区，应该要求政府统一筹办，部队不应直接向人民派粮派草。只有在部队深入敌人的后方，没有我地方政府时，才可以在完全自愿的原则下，直接要求人民捐助或商借若干粮草。一般说来，抗日武装部队不应向人民派粮派款。

为了补助解决抗日经费的困难，发动人民的爱国热忱，在完全自愿的原则下，捐助抗日经费是可进行的，如果进行中，不带任何的强迫意味，可以不致引起人民的反感。

关于公务人员的薪饷减低或取消，也应该在实际的可能的自愿原则下来实行。

反对贪污禁止浪费，在中央的命令之下，应该严格执行，不过在惩治贪污时，一方面要有明确的证据经过法定的手续，另一方面对于过去的贪污事迹，不应惩治过严。

经济政策：

对于逃跑之资本家之工厂开工与逃跑地主之土地的耕耘问题，是应该为陶尚行同志所提出的办法来解决，政府应该保护各人的私有财产，保护商人的营业自由，工厂的开工及地主土地的私有，号召逃跑的资本家与地主回家，去经营他们的工厂与土地。但当他们不回去的时候，政府为了增加生产起见，将工厂转租给别人或组织公司合作社等方式来开工，土地只有由佃农来耕种，租息当然暂时无法交。但这种临时的办法，不能视为侵犯地主资本家的土地工厂所有权，只要地主与资本家回去的时候，仍然可以管理他们的土地与工厂。

奸商是应取缔的，但须很慎重的来执行，限制高利贷的利息。根据最近的经验，如果不能办理低利或无利借贷，只从消极方向去限制就要引起现金的窖藏，农村资金流转的困难。所以一般的限制还不很适宜，只有在具体的借贷事件上，经过人民团体的努力与调解，减少一些息金的归还还是必要的，实行垄断的取缔暂时是无法执行。

为了保障游击区的粮食供给，应该进行春耕运动，帮助农民解决各种的耕种的困难，要号召农民，多种粮食，少种棉花及其他日寇所需要的原料。

关于改善人民生活的问题：

为了动员与组织最广大的民众，参加抗日救国战争，政府保障民众运动的自由，尊重民众团体的独立，并在物质上帮助民众团体，实行一些改善民众生活的政策，（如过高地租的减轻，过长工时的缩短，工资的斟量增加……）完全是必要的。但在游击战争的环境下，在乡村中，对于最高租额的规定，佃农土地永佃权之保障，以及八小时工作与最低工资额的规定等，暂时都是无法执行的。

当着民众组织起来以后，群众就会很自然的起来要求改善生活。这时候民众团体应该有很清楚的方针，一方面要认民众生活有改善的必要，另一方面又必须使民众改善生活的要求和运动服从抗日战争，服从统一战线的利益。因此民众团体在这里必须有很正确的艺术领导方式。

民众团体应该在动员民众参战的运动中，在抗日的口号之下，在不破坏统一战线的范围里面，来努力改善民众的生活，改善民众生活的方式，应该采用协商调解仲裁等方式，去达到群众要求的被承认，去达到工农群众与资本家地主双方的同意与妥协，……在政府内部设立工农科或其他特别的机关来负责解决这些问题是必要的。

为了共同抗日，应该设法减少中国人民内部的摩擦与相互的斗争，以免被日寇所利用，应该号召人民团结起来，共同抗日，应该去调解人民之间的斗争与摩擦。

过去以及最近在某些地区，因为资本家地主对于工人农民的过分剥削，以及工农反对资本家地主的斗争，曾经种下了某些仇怨的，应该去进行调解，号召工农与资本家地主抛开私人的怨仇，去共同对付民族的公敌——日寇。这种的调解，在相互让步道歉及某种条件之下，是完全可能的。

关于汉奸武装及维持会等问题：

中国的抗战要在持久战争中才能取得胜利，因此必须反对中途妥协与投降，对于北平京沪及各地的傀儡政权，必须坚决反对，对于我政府中及我军后方的亲日派，必须肃清淘汰，这是无疑问要作的。但是在日寇的后方游击战争中来具体解决这个问题的时候，我们必须要有一些特殊的办法。

首先为了瓦解与争取日寇所组织起来的汉奸武装（如自治军，伪蒙军，民团保安团），我们可以拟出“中国人不打中国人”，“只打日寇，不打自治军保安队”，“中国人联合起来打日寇”等口号。

在实际行动上，游击队不要故意去寻找这些部队作战，以便争取他们，但他们进攻游击队与游击区的时候，及阻碍游击队行动时，就应该解决他们。

有时游击队可与这些部队的个别长官订立互不侵犯的条约，并派遣抗日的分子加入这些部队，宣传与组织抗日，都是十分必要的。

其次是在日寇后方的人民，以及村长区长等因为完全处在日寇的统治下，没有任何中国军队的保护，他们虽然是不愿意，然而他们不能不在表面上，表示投降日寇，甚至于他们不能不去参加日寇所召集的会议，担任日寇所派遣的勤务，敷衍日寇的耳目。我们在日寇的后方，不能够禁止人民这样作，尤其不能将这些人民，当作汉奸来处罚。游击队只可要求这样作的人，暗中秘密的来帮助游击队，将日寇的消息送给游击队，帮助游击队购买物品带路送信，与掩护游击队的行军宿营。游击队应该代替他保守秘密，不使日寇知道他们帮助游击队，以免他们受到摧残。

因为在日寇统治下的人民，如果是因为帮助游击队而受到摧残，将会使人民不敢帮助游击队。

在日寇后方发展游击战争，应该使汉奸政权建立不起来，尽量破坏汉奸政权，指出维持会等是傀儡政权的伪组织，劝告人民不要组织维持会，拒绝维持会的命令等。根据最近的经验，在敌人力量很大的地方，人民的加入维持会是被强迫的，还有一部分人加入维持会，是为了保护自己的身家性命。对于这些人民，我们也不能一律当作汉奸来处罚，只应责备他们，要他们悔改，要他们以后帮助游击队，接受游击队给予他的任务。只有那些坚决反对游击队，压迫人民抗日运动，屠杀人民的汉奸以及受日寇收买替日寇作侦探和在我军后方捣乱的汉奸，才应该坚决肃清，处以极刑，并没收其财产。中央颁布惩治汉奸的法令是对的，如果拿到日寇后方去执行的时候，还必须顾虑到上述的特殊情形。

最近发现日寇在华北一些地方，提出“保境安民”的口号，而这个口号恰恰适合一些落后的绅士地主的口味，因此就有一些民团的首领，甚至政府的行政人员，如河北某专员，就宣布他们的“保境安民”。

他们拒绝抗日武装部队到他们的范围去，同时他们也不寻找抗日部队作战，他们投降日寇，禁止他们那里的人民抗日运动，这种人实际上是比维持会更加坏的东西。我们应该反对这种的“保境安民”，主张武装人民来保卫家乡，应该向这些人指出，这样的“保境安民”，只是一种的幻想，将来必然还要受到日寇的宰割，东北与朝鲜的一点实例，都足以充分证明。

但是当着这些人还有觉悟的时候，只要这些人不打游击队，游击队也不应该去打他们，应该忍耐的去争取他们。

日寇对于不肯屈服和抗日的人民，是采取残酷的屠杀政策。因此我们在靠近敌人某点的地区，必须切实设法，使人民避免一些可以避免的屠杀。

在那些地方，需要进行秘密工作，——秘密组织群众及建立武装部队等。抗日军人家属应尽可能秘密起来。就是游击战争根据地中，也应该有秘密工作的准备，以便在万一日寇进入根据地时，在最严重的条件下，仍能坚持与日寇作斗争。

这一切政策的目的，是为了在游击战争中，更广泛的坚持进行民族抗日统一战线，团结更广大的民众，并与中央更亲密的团结起来，在持久战争中去战胜日寇，一切与此目的相违背的政策，都应纠正过来。

（见少奇著《关于抗日游击战争中的政策问题》）

第三节　后方设施

游击队的根据地问题，在上面已经说明了。这种根据地的作用就是军事策源地，他的后方设施应该有一个简略的布置，以便建立后方工作系统，求得适应各种战况。

后方第一步的设施是卫生机关的建立，因为有这种的卫生机关，才使伤病人员有一个适当的寄托之所。一般的说来建立这种卫生机关是在根据地比较稳固的时候，选择一个偏僻的地方，成立疗养所或临时医院。

药材的来源最要的是从敌人身上取得，次为出钱购买。人才可利用当地的居民，与懂得医术的同志充任。如果没有办法找得出医务人才，可以从外间关系方面聘请甚至于把捕捉的俘虏好好优待，令他服役义务勤务。假使是不稳固的根据地，病员的安置，主要的是要养在同情的民众家里，或游击队员亲戚朋友家里，给以适当的金钱，请群众代为购买药材及请医生治疗。如果在某些汉奸活跃的区域，所寄的伤病者有受当地汉奸暗害的危险，但同时在紧张的情况下，又不得不寄养的，则只有采取恐吓的手段，如告知该处的某绅士，交给几个伤员给他，叫他好好的抚养。如果他将寄养的队员报告了日寇，以致使寄养者遭受危险，则对他采取必要的手段。如果他好好的抚养我们的队员，能在我们的游击队员病愈后护送安然返队者，应奖励他，同时应替他保守秘密免被汉奸发觉。

后方的第二步设施就是补给机关的建立，如被服厂，粮秣堆积所，兵工厂等等，建立这些机关更要看情况的变化与物质条件的有无。

通常大的游击队一定要建立兵工厂，粮秣堆积所，被服厂，因为大的游击队消费较大，专凭以战斗来取得物质资源还是不够的，所以他在积极方面，要研究自造的办法，同时在消极方面要讲求节省办法。

这种新机关的大小，人才的选择，都要斟酌情况，依据当地的物质资源，与可能的条件，而互有变动，通常建设的规模，不要过大，只要求实用，出品不要求精良与美观，只要求出品数量之丰富。

各个补给机关的位置，要适合于制作的场所（如兵工厂应靠近煤铁矿，被服厂靠近种棉与产纱的地区等等），但在战斗的环境中，补给机关的位置要在比较安全的地方。

不巩固的根据地只建立修械所和粮食堆积所就够了。

后方第三步的设施就是建立军事指挥机关，统一指挥领导，统一补给训练，使分散在各个地区之游击队在统一的号令下行动起来，取得各个动作中互相配合。此种指挥系统要看究竟是属于何种的游击队：是由正规军转变的或者是由民团转变的抑或由自动产生的。

由正规军转变的当然是属于原来部队最高指挥官之直接领导。但从民团转变或由民众自动组织而成的，须有另外组织游击队的指挥机关。因为这些零星部队没有一个统一的指挥，就不能取得动作协调，没有齐一的步调，就不能战胜敌人。

这种游击区的最高领导者，应当在中央的领导下，坚持抗战，其指挥者须得最高军事机关的批准，或当地最高军事指挥官之认可。

小块的游击区只建立一个区司令部，大规模的游击区域，可建立几个分区司令部，直属在游击区地方军事委员会之指挥下，一切组织（除游击队本身适应环境特殊组织外），均照最高军事指挥机关所颁布的组织原则实施。

后方组织第四步是建立政权机关，按照县区乡村的组织原则组织起来，选贤任能，加强其各部门的工作效能，使之成为真正的民主政权，适合于抗战的地方政府。

敌军后方的行政人员多半是被敌人摧残了的，原有的政治机构已经是被破坏了的。恢复后的地区行政人员可由民众中普选出来，再呈请上级的核准。这样由上而下，由下而上的手续是必须经过的。

一切由县区乡直属下的各种组织（如教育、建设、财政等局），当绝对照旧不变更以保持全国的行政统一，不过在县府下应设立工农科，军事科，以代表工农，解决工农间的一切问题和全体民众的军事教育训练与计划。

其他财政、建设、教育等局，各按其职责，努力完成其战时教育、建设、财政等的工作。

第五步的工作就是经济建设，内容应包括发展工商业，扩大工商业，保障工业原料的自给，发展对外贸易，吸收外间一些必要的物质资源。

发展农业，增加生产，开辟荒土，改良耕种技术，在政府的领导下解决一些农民的应有困难（如水旱虫灾之预防，种子耕具的借贷），奖励生产。

保障金融的流通圆滑，设立各地的借贷银行（不另外发行纸币），流转农村的经济。

其他如行政上的各种问题，都须切实按照当时环境定出具体的计划与步骤。

民众运动问题，则由各个民众团体自发的组织，在不违反战时各种法令原则下，充分的保护与发挥，（如动委会，工会，农会，学生会，妇女会，救国会，抗战后援会，战地服务团等等。）以符全民抗战之真义。

根据地的党的领导问题，当然只有中国的两大政党（国民党共产党）来担任，两党间应采取互相帮助，互相友爱的态度（如东北某地共产党员帮助国民党员组织国民党），反对谁想吞并谁，谁想消灭谁的错误观念，因为在日寇的侧后方，更须国共两党更艰苦更残酷的领导人民与敌人战斗，一切不必要的自相摩擦都是对于抗战不利的。

第十五章　几个注意的问题

第一节　关于领导方式

1. 建立军民团结，为发展游击战争很重要的因素。因为抗日的游击战争是群众斗争的最高形式，是大众的民兵战，他的本身就是民众的武装斗争组织，其存在发展的要素，则以群众向背为转移。建立在群众中的最高信仰，当赖以自己有明确的政纲，从自己的行动中，来证明自己的光明磊落。从群众的认识中，来争取群众的爱戴。一切自私自利，只顾自己利益，而忘却了在日本帝国主义铁蹄下被践踏的同胞，必然要遭受群众的反对，必然会使本身一天天趋于零星和破碎。聪明的游击队的领导者，应该深深的记着：游击队与群众的关系，就好像鱼和水的关系一样，水量愈是增多，鱼的活动范围愈加增大，水量过少，鱼是终难逃出渔人的捕捉。

2. 提高部队的纪律，是提高部队信仰建立军民团体的枢纽，提高部队的纪律在于：

A. 从教育上来整顿部队，使部队在自觉的条件下不致违反群众利益。

B. 实施严格的管理制度，进行不断的监督与检查，防止侵犯群众利益的事件。

C. 规定简单而切合于实际的纪律。

如三大纪律八项注意之类：

（1）实行抗日救国纲领；

（2）服从上级指挥；

（3）不侵民众利益。

甲、进出宣传；

乙、注意清洁；

丙、讲话和气；

丁、买卖公平；

戊、借物送还；

己、损坏赔偿；

庚、尊重当地风俗习惯；

辛、不杀敌军俘虏官兵。

3. 加强军政教育，是保障纪律提高，与争取战斗胜利的先决条件。过去有些部队只注意扩大本身的数量，忘记了质量上的重要性。这种毫不审慎的扩大，容易使坏的东西混进游击队中来，进行破坏游击队的工作，同时容易使民众得着一个极不好的印象，以为游击部队是不好的东西。所以在进行组织之先，应注意考察其成分，即组织之后，应时时给以适当的教育。这种教育，在政治上最低限度的要求，以能充分了解民族统一战线的纲领，运用统一战线的原则；在军事上要求单纯战斗动作的纯熟。其不堪教育者，应逐渐的洗刷与淘汰，使游击队真正成为抗日斗争的学校，抗日民族统一战线的熔炉。

4. 游击队的领导方式，是极值得讨论的，不过这个问题已有专书论及，我在这里只提出几个简单的事项以资参考：

A. 抗日游击队内，包括各种各样的阶层，知识程度也不一致，但是他们有一个共同的目标，这个目标是什么？就是打倒日本帝国主义，争取中华民族独立自由和解放。游击队的领导者，要抓紧这一个共同的原则，教育部队消除一切不正确的思想与行为，任何一个不团结的现象都应在抗日的最高原则下求得解决。

B. 要使游击队员与队长，同艰苦，共患难，临难不屈，临危不乱的牺牲奋斗，除在政治上给以相当的教育外，队长在日常生活上，应接近群众，一切工作和生活，都要群众化。平时的艰苦耐劳，忠实于自己的职责，战时的坚决勇敢，不怕困难，不怕牺牲的精神，都是建立领导者在部队中的极高威信，从事实的表现中，逐渐奠定与形成群众所爱戴的领导者。

C. 建立与队员的正确关系，态度的庄严和蔼，处事的沉着迅速，待人的亲密真诚，大公无私，以良好的工作作风，教育部队，则部队没有不竭诚拥护，而凛然服从的。

D. 及时解决群众的困难，接受群众的意见和要求，解释与指摘不良的倾向，以说服精神来处理一些犯错误的同志，使之深深的悔改，同时应将此错误的来源与演变，公布于大众之前，以警觉其他的同志，防止同样事件的发生。

E. 注意改善群众的生活，保证物质的及时供给。

F. 建立平等的待遇，实施经济公开。

第二节　关于指挥上的注意

指挥作战，确定游击队的战略行动，究竟依靠于什么条件？我想不外于估计全般情况，确定作战计划，利用适切时机，配合主力等问题。

一、估计全般的情况。

游击队是抗日的武装部队，绝对不应该在某些私人垄断下成长起来，更不应该存在着武装私有观念，应该知道游击战争在今天的相对的绝对作用——配合主力正规战与运动战，求得抗战的彻底胜利，应该估计整个情势的变态，顾全整个的大局，须知全般情况的变化，是会波及到游击队的本身的。

二、根据整个的条件确定作战计划。

一切的战争都离不了政治，经济，人员武器，地形交通，敌我力量的对比等等的条件，游击战略计划也是依据这种条件而确定的，因为游击战争是抗战的武装力量，是与正规战斗互相关联的，所以要谈游击战争在战斗中所采取的战略，首先就要了解整个战略所依据的条件是什么。

一般战略上所依据的根据：

在政治上：

1. 国际情势有利否？（包括国策与外交。）2. 国内行政以及团结的程度何如？ 3. 人民对抗战情绪怎样？4. 敌国在国际上的地位。5. 敌国人民敌军内部对战争的认识何如？ 6. 其他有关于抗战的诸问题。

在经济上：

1. 现有的物质资源。2. 每年可生产的资源。3. 蕴藏的物质资源。4. 国民经济状况与经济结构。5. 金融。6. 国家收入（平战时的必要收入）。7. 国际信用制度。8. 支持战争的消耗与最低限度的物质供给。9. 其他……

在地形交通上：

1. 国土的位置面积气候。2. 陆上可能被威力的方向。3. 水上及上空可能被威力的方向和长度。4. 国土内的地形状态。5. 交通状况、组织，与运输时间。6. 其他……

在人员上：

1. 全国人口多少？ 2. 几个民族组成的各个民族间

的关系怎样？ 3. 民族的性格、体力、嗜好、智慧、教育程度、创造性。

在武装力量与武器上：

1. 军队的数量（海、陆、空）。2. 军队的素质。（教育训练募征兵制。）3. 编制与装备。4. 武器配备，武器数量和质量。5. 后备兵与武器的供给。6. 同盟国的协助与敌对国的牵制。7. 其他……

游击队所应根据的——确定游击战争的战术根据：

在政治上：

1. 当前的抗战形势。2. 敌军的战斗情绪。3. 我军的战斗情绪。4. 民众对抗敌的认识。5. 其他……

在经济上：

1. 该作战地域物质资源（每年生产量蕴藏量）。2. 该地人民生活概况与经济的收入。3. 支持战争最低限度的消耗能供给多少时间。4. 其他……

在地形交通上：

1. 作战地区之地形。2. 交通状况与运输时间。3. 敌在某种条件下可能威力的方向和时间。4. 其他……

在人员上：

1. 当地人民数量。2. 民族关系。3. 人民性格，教育程度，嗜好。

在武装力量与武器上：

1. 该直接作战军之数量与质量。2. 编制装备与武器配备。3. 供养供给情形。4. 其他……

三、看破好机，灵活机动。

怎样看破好机呢？我且举一个最近的例子来说吧！当二月九日晚间，由 × 部主力之一部，配合当地人民武装，在同一时间同一指挥下，分途向保定至正定间之铁道线进攻，占领定州望都新乐等重要城镇，破坏铁道三百余里，击毙八九百人，俘虏四十余人，缴获步枪轻重机枪军用品甚多。虽然这一次的战斗胜利并不大，可是它在战略上具有极大的意义和作用，主要的表现在：

A. 牵制平汉线之敌向黄河边沿逼进，间接配合津浦线作战。

B. 打破敌人武力征服中国的迷梦，（以为被武力制压的区域决不会动乱。）证明中华民族是不可征服的。

C. 发扬了民众的抗敌的力量，加强了群众抗敌胜利信心。

所以我们不能把上面的事实看得很简单，我们要从整个的战局着眼，估计游击队在每一个行动中，所具备每一个不相同的作用——配合主力战胜敌人的作用。

实施游击的时机，大概可以分为以下几种：

1. 敌人深远的后方，兵力薄弱，或暂不能以武力统治的地方。

2. 敌我主力激战，无暇顾及到我游击队活动的时候。

3. 为配合主力作战，故意派遣几个游击队活动于敌人的翼后方，以行牵制与分散敌人的时候。

4. 政治条件地形条件特别良好，容许我活动与发展的时候。

5. 因战役计划变更（被敌截断），以正规战斗不能达成任务的时候。

6. 企图暂缓当前的战局，以迟止敌人的时候。

四、游击战争的归宿点在于掀起全民的抗战，争取最后胜利。

上面我们不只一次的谈到游击战争的配合作用，但要更明确的简单的把它怎样配合细述出来，这一件事，是颇不容易的。或许也只有在实际的行动中去理会。

一般在战略方面的配合，为发展广大的游击战争，逐渐的削弱敌人，消耗敌人的人力物力财力，支持持久战造成战略上的优越条件。

Ⅰ.基于这个总的目标，在政治上应该：

（甲）保护人民利益，使军民融合一片。

游击队所到之地，必须禁止拉夫拉车，征发粮草，要绝对的执行抗日民族统一战线的纲领，建立与民众亲密的关系，说服与鼓动人民，使人民自愿帮助军队。

（乙）宣传组织民众，武装民众。

宣传组织民众，武装民众，奠定开展游击战争的基础。政治机关，应以最大的努力，从事宣传与组织人民，及时揭破日本帝国主义汉奸卖国贼的阴谋，帮助人民组织抗日团体与抗日武装。击溃日本帝国主义少数部队的屠杀，真正的保护人民，以自己的胜利来兴奋广大的群众，来显示群众斗争力量的伟大。以某些投降屈服，被奸淫屠杀的实例，来激发人民的民族意识，坚定斗争的决心。

（丙）发动人民肃清汉奸。

汉奸是民族的败类，是日寇的忠实走狗，凡是对汉奸的优容姑息，都是中华民族的罪人，扑灭汉奸间谍的活动，提高军队与人民的警觉性，反对与消灭一切伪政权，反对伪政权所颁布的各种法令，广泛的发展锄奸运动，杀尽一切的大小汉奸，杜绝日本帝国主义吞并中国的工具，使日本帝国主义武力侵占的区域，无法统治。

（丁）对敌军进行广泛的宣传。

抓紧敌军每一个可能利用的机会，进行有力的宣传鼓动，使敌军瓦解和焕散，因而减弱敌军的战斗力量。

在战时要利用一切可能的方法，使敌军动摇而厌战。以多方的宣传鼓动与解释，取得敌军士兵的同情。对俘虏应绝对的优待，经过教育和解释后，立即遣还，以扩大我军的影响，作我们有力的间接宣传。

Ⅱ.在经济上应该：

日本帝国主义国内经济枯竭，已经达到了相当严重的程度，要想专靠本国内的经济资源，支持侵略的战争，事实上，恐怕是朝不保夕了，然而究竟他是不是要想办法解决他目前的困难呢？我想他正在着手了，倘使这一办法彻底成功，将会使抗战前途，增加极大的困难。

这个办法，就是公开抢劫与利用汉奸的间接抢劫。

（甲）公开抢劫。

在占领地区内，差不多中国的工商业海关，通通被他没收了，被占领区域的私有资财，只要是与他有利的差不多都被他无条件的没收了。

（乙）利用汉奸的间接抢劫。

在日寇占领的地区，他用尽了威力利诱的方法，收买一些无耻的叛卖祖国的汉奸，组织伪政权，替他们抽收各种捐税，替他们开发军用的物质资源，替他拍卖仇货。

游击队在上述的两种条件下，应该以自己的力量，保护某些地方不让敌人蹂躏和榨取，发动群众实行坚壁清野，彻底破坏某些被敌利用的工业矿业与商场。发动群众反对伪政权，不纳捐，不缴税，杀死伪组织的首领，彻底破坏其后方工作系统，造成其紊乱与恐怖的局面，兴奋着广大的不愿意当亡国奴的同胞，领导他们走上民族解放斗争之路。

同时应以自己的武装力量，去没收日本帝国主义在华的财产，抢夺日本帝国主义作战的粮秣辎重，和没收卖国贼的财产，供给主力的需要。

Ⅲ. 在战役战术上应该：

（甲）战役上的配合。

A. 争取时间，便于主力的灵活机动。

B. 以本身的行动威胁敌远后方，分散敌人，造成敌人处处被动的地位。

C. 以自己的积极的行动，牵制敌战役计划的实施。

D. 以穷扰与破坏方法，使敌人陷于孤立无援。

（乙）战术上的配合。

当我主力进攻时，或在敌人的翼侧和后方活动，以分散敌人的力量，钳制其兵力，配合主力夺取其阵地，与战斗兵器。

当我主力防御时，或在前方任战斗警戒，压迫敌过早展开，暴露其企图；或活动于敌人的翼侧，使敌进攻方向迷误，或任翼侧的警戒，防止意外的事变。

当我军退出战斗时，或与敌人保持不断的接触，迟止敌人的尾追；或以短促的袭击，扰乱敌人追击的部队。

当我军前进时，或以迅速秘密的动作，占领某要点，便利尔后的战略意图；或行进于主力之先头和翼侧，作主力之触角。

当主力驻军时，或作主力外围之警戒，或作主力之侦察。

当遭遇战斗时，在总的意图，伪装主力，使敌展开正面错误，或扰乱敌之侧后方，动摇其阵容。

第三节　几种战斗队形的图解

突然向行进之敌施行掩击，就叫做埋伏或伏击。

埋伏在诱致敌人方面说有：——

待伏与诱伏。

什么是待伏呢？就是察明敌必经之道路，将部队配备于敌行进路附近，待敌通过时突然袭击之。（第二十五图）此法多采取袭击敌之运输队辎重队，倘敌搜索疏忽，极易成功。

待伏（插图二十五）

什么是诱伏呢？以小部队引诱敌人进入我埋伏圈内突然打击之。（第二十六图）此法是企图消灭其少数武装部队，通常在疲扰之后，或敌胜利后，十分骄傲时，容易成功。

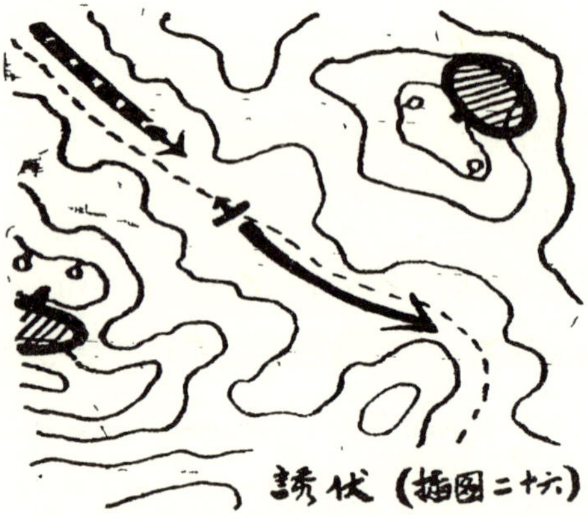

誘伏（插图二十六）

埋伏中关于兵力使用，应区分恰当，不要平均分配兵力，同时又避免兵力的堆积使用。通常区分为钳制队，突击队，火力队和预备队。

突击队约占全兵力三分之二，钳制队约占全兵力三分之一。火力队一般均附属于钳制队内（轻重机枪），警戒侦察部队都应由钳制队内派出。兵力的使用应按其特质分配，其适当任务，如攻击精神强应任突击队，防御顽强应任钳制队是也。

两翼侧与一翼侧埋伏利害之比较：

A. 两翼侧埋伏之利：

1. 补助地形之不足。（如平坦开阔地中之高苗地，一侧翼埋伏通常不能完全消灭敌人，倘用两翼侧埋伏则可补足。）

2. 突击时敌不易于抗击。（因我在出击中，迫使敌人前后左右皆受威力，以致无抗击之余力，故此种方法可收彻底歼灭敌人迅速解决战斗之效。）（插图二十七）

两翼侧埋伏（插图二十七）

B. 一翼侧之埋伏之利：

1. 可节省兵力集中使用。

2. 可充分发扬我火器之效力。

3. 指挥掌握通讯联络均较容易。（插图二十八）

一翼侧埋伏（插图二十八）

两者之利害适得其反。

对占领野战工事的敌人施行夜间袭击图解：

本图解只将到达接敌进攻地，直至冲锋后之动作，略加解释，开进中之动作均未列入，如需要时可参阅袭击项内。

A. 注意事项：

1. 接敌进攻时部队要保持齐头运动。

2. 前方侧方甚至于后方，都要派出侦察组，防止敌之有意袭击。

3. 遇敌照明兵器应讲求应付办法。（卧倒不动或利用隐蔽。）

4. 遇敌警戒，应设法绕过。

5. 保持联络的确实，保持绝对的静肃。

6. 秘密占领冲锋出发地。（插图二十九）

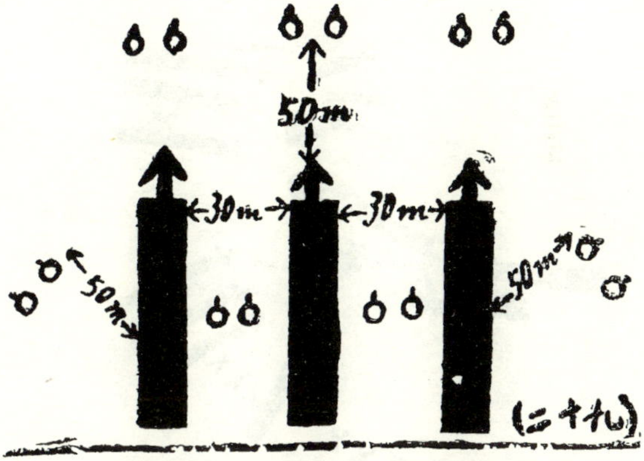

展開後的接敵進攻隊形

B. 到达冲锋出发地：

1. 将部队集结，准备使用的武器。

2. 派出破坏组，首先破坏其障碍物，如被敌发觉则以手榴弹向之投掷，继以冲锋肉搏。

3. 冲锋队形宜用集团的（班或排为单位），向敌最感威力之翼侧冲击。

4. 准备火力于适当的地点，以备在冲锋不成功时掩护撤退。

5. 冲锋不成功时，速将部队撤退到适当地点，派出后尾掩护部队，迅速撤退。（无论如何再不要重复冲锋。）（插图三十）

冲 鋒 時 的 隊 形

C. 冲锋成功后：

1. 夺取敌人阵地后，迅速整顿部队。（不是机械的集合，而是各人找到各人的部队，各就所指定的地点。）

2. 为防止敌之反攻，队形应如马蹄状不受敌人反攻的威力。

3. 派出前侧方侦察组，接触敌人，便于察明敌情，必要时施行短距离的追击，急速向后方联络。

4. 如将拂晓，则应注意敌在天明后，联合兵种之反攻。（插图三十一）

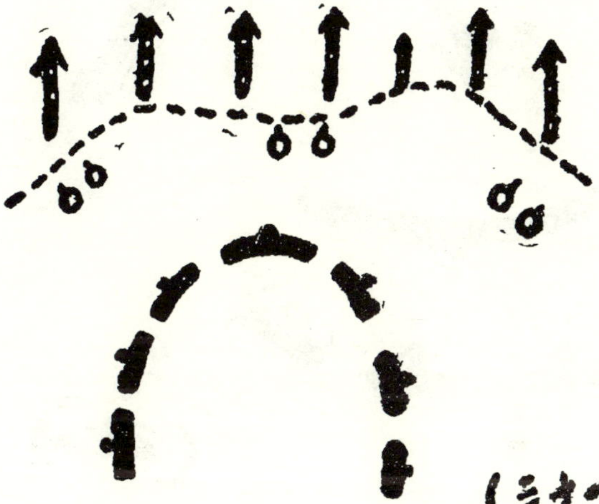

（三十一）

冲锋成功後的队形

袭击敌人三种方法：

第一法

以小部队钳制敌人的正面，以大部行深远的迂回，规定统一的时间（以迂回部队的时间为基准），同时行

强烈之突击，使之前后遭受威胁，迫其放弃阵地。（插图三十二）

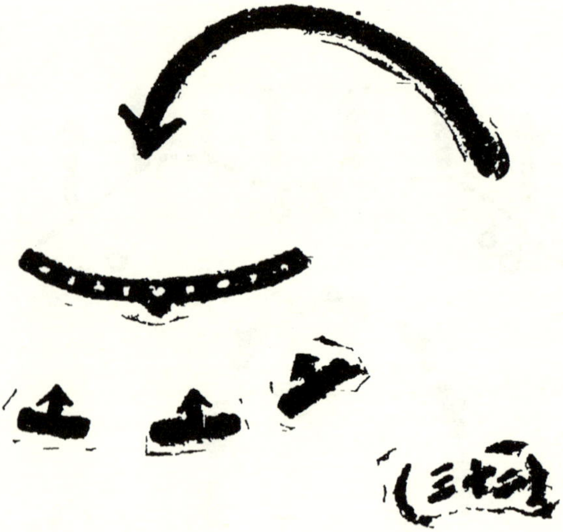

第二法

首先派出一精干的小部队，向敌炮兵阵地，施行强烈袭击，诱其离开阵地，俟其确实离开阵地，则乘机以正面一部占领该阵地，以正面之大部，包围敌人的翼侧，迫使敌人溃乱，解除其武装。（插图三十三）

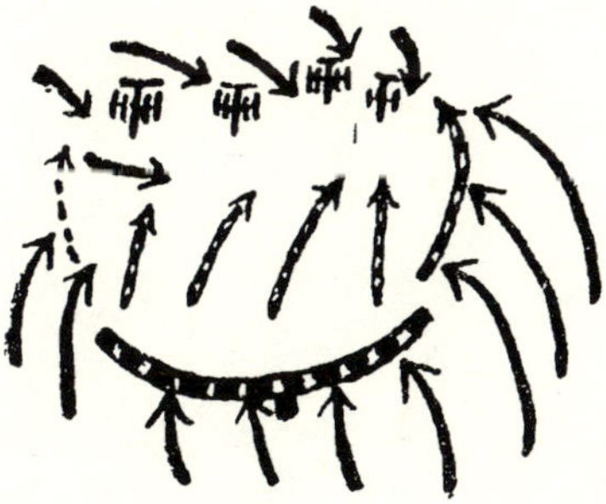

（三十三）

第三法

本来我们想夺取甲点，我们却以少数兵力佯攻乙点，诱其增援乙点，乘甲点之空虚而夺取之。有时可将大部队配备于增援道路之两侧打击其增援部队。（插图三十四）

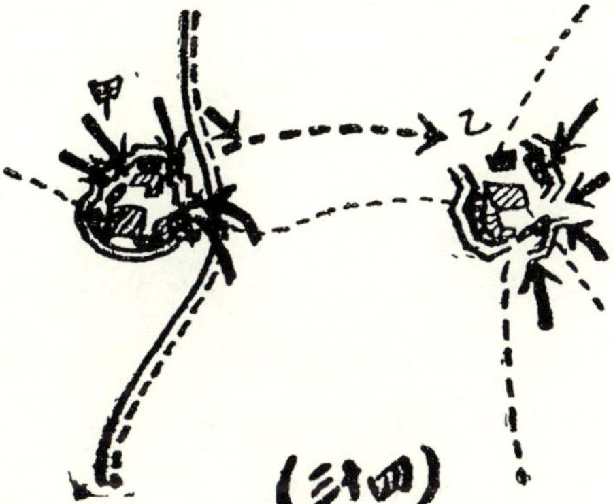

（三十四）

第二编

第一章　游击队政治工作

第一节　政治工作概论

首先说明的几句话：

这篇游击队政治工作，是作为游击队政治工作讲授提纲之用，但在编辑时正遇着环境变化，行军中未能详尽整理，在整个结构上仍有许多遗憾和不够的地方，希望读者参考时加以补助和校正。

张平远二月廿日于晋境校部

（一）政治工作的由来，及其过去的历史作用：

军队中的政治工作不是现代的产物，在十八世纪的法国大革命时，已开始了军队中的政治工作的建立的萌芽，一九一七年苏联十月革命时的红军更加发挥其作用，充实了许多宝贵的实际经验与教训（参考《苏联红军中政治工作》）。

我们中国的军队中在一九二五年——二七年的大革命时期，北伐军从广东开始东征，以两个团的兵力扫平杨刘，都是由于新建的两个团中的干部是黄埔一期毕业生，建立了革命的三民主义政治工作的基础，从这个基础上，继续改造了旧的军队，建立了强有力的国民革命军，得到了北伐胜利。

在近十年来，中国的红军在艰苦斗争中，从小的游击队而壮大成为了正规的八路军，它历尽与度过了许多艰险的环境，在二万五千里长征中，开辟了有史以来的艰苦奋斗的纪录，这都证明了政治工作在军队中的伟大作用。

几个月来全国抗日的军队在我们政府和蒋委员长领导下，又建立了部队中的革命的政治工作，最近在前方英勇抗战的胜利部队的坚强巩固，开始了军队的国防作用。尤其在近来华北游击战争开展，冀察晋地这许多伟大的战绩，都证明部队的政治工作的重要。尤其在今后我们广大地区上的游击部队，要能完成他的整个政治上和军事上的任务，建立强有力的政治工作，就更有它的伟大意义了。

（二）在现阶段中游击队政治工作的特点：

1. 在目前抗日的民族自卫战争，是与过去内战不同了，今天我们每个战士，每个人民，都是为了自己祖国自由独立而战，为全民族不作日寇的奴隶而战，这种保卫祖国和民族的生存斗争，是一种伟大的正义战争，不仅有全民族的拥护，而且有全民族力量参加，不仅能取到国际的同情，而且能得着全世界爱好和平的国家和民族的帮助，这一特点是与过去战争不同的。

2. 游击队政治工作与正规军的政治工作的要求，一般的原则上是相同的。因为政治工作是政党政权在政治上领导军队的一个枢纽，政治工作的定义就是“政治组织，政治宣传教育，政治行政工作”。这原则正规军是这样，游击队也是这样。但我们要知道游击队是小规模的队伍，民众武装斗争的一种最高形式，行动的独立，分散指挥，环境复杂，所以一切组织和进行工作方针，都要适合它的特点。

3. 游击队通常是处在敌人前后左右，往往“四面皆敌”。环境不是平静的。除了在自己的巩固根据地上休息外，经常总在战斗的姿态中活动着。尤其在目前日寇第二期战略开始了继续进攻我内地，则敌人后方更加深远更加空虚，要求我们游击队开展这一战斗。游击队不能因环境而安然无事，要求游击队“要游”，“要击”，要多找事情干。“多作小生意，回头赚大钱。”这是我们的游击队在今天环境中应该注意的。政治工作就是根据这一环境，在政治上，求得保证，使每个游击队能顺利配合正规军，彻底粉碎敌人第二期进攻计划，全部驱逐日寇出境收复失地。

（三）游击队政治工作基本方针及其任务：

1. 政治工作基本方针：

A. 我们的政治工作的主要内容，要加强与巩固国共两党合作基础上建立起来的各党各派联合抗日的民族统一战线，把民族统一战线的扩大巩固，为政治工作的中心内容。

B. 应该使全体队员了解目前民族自卫战争的性质，是持久的艰苦的一种为祖国生存的战争，必需每个队员具有最高的无上的民族觉醒与牺牲精神。

C. 在政治教育上应使每个队员明白我们的抗战，是全民族反对侵略者的一个民族革命战争，这个战争是关系于整个全民生存的胜负的决战。

D. 抗日战争的前途是实现“民族独立，民权自由，民生幸福”的民主共和国，这个斗争是有全世界劳动大众有识人士拥护的，所以要从自己的行动上工作中去取得国际的切实帮助。

2. 政治工作的任务：

第一，是巩固扩大本身。

游击战争的定义是“群众战争”，游击队是民众武装斗争组织（彭德怀同志）。我们说游击队是从人民抗日斗争中产生出来的队伍，这种武装开始时，自然有许多弱点，如“农民意识”，“军阀主义”，“保守主义”，“宗派主义”，“土匪主义”及武器低劣，战术素养差等，所以游击队首先的政治工作就要反对这些有害的不良现象，从政治上提高政治军事的教育，从组织上加强干部的领导，建立纪律生活和组织生活，加强部队中的文化娱乐工作，正确的建立民主生活，提高队员的工作积极性和战斗的精神。

游击队政治工作，在加强政治军事教育和文化娱乐工作，建立纪律生活，克服不良倾向中去求得本身巩固。还要在战争中不断的扩大吸收积极的勇敢的爱国青年，及勇敢参加抗日，忠实于民族革命事业的分子到游击队中来。

第二，发动群众建立抗日根据地。

游击队是人民斗争中产生出来的抗日武装，但在他自己脱离了农村、工厂、矿山、学校后，仍不能忘记广大人民的斗争。它要在抗战中努力去帮助人民的救亡宣传教育，组织各种抗日团体和武装人民共同抗日，到处进行文字口头宣传，组织各种救国会，组织各种义勇军，人民自卫队，抗日游击队等，并帮助建立政权（如在新恢复区），充实政治机构，巩固自己的抗日根据地，并在群众中发动人民进行肃清汉奸运动，进行反对汉奸托匪斗争，捕捉敌探，发动人民帮助游击队作战与交通运输工作。从政治上与组织上取到广大人民的帮助与拥护，巩固军民团结，建立模范巩固的抗日根据地（建立根据地条件，参考《游击战略术》）。

第三，进行瓦解敌军，争取日伪士兵共同反战。

游击队因他的任务关系，经常容易接近敌人地区，常在敌人附近活动，对于瓦解敌军工作更便利进行，所以每个游击队应有组织有计划的去进行争取敌军瓦解日伪军的政治工作。

以上三个工作任务是政治工作三个对象，对于具体办法的原则下面另有说明。

（四）政治工作组织原则：

1. 政治工作在游击队中为了顺利的进行，首先是政治组织健全。在游击队中，政治工作干部往往是不少的，因为在人民抗日斗争行动以前，就有许多积极爱国分子作领导。这些有群众信仰的领袖们，正是我们游击队中的军政干部。所以政治工作任务，应该交到这些有高度民族觉醒忠诚民族解放事业的勇敢坚决的分子来负担。

2. 政治工作原则前面已说明，它是政党与政府的政治领导的枢纽，它的制度应该是不脱离民主与集中的。上层的主要的政治干部应该是政府委任，下层可以实行民举（连队政治组织）。并在政治工作进行中，要尽量在不妨碍军事行政指挥上建立民主生活，和正确的民主集中制。

3. 政治组织在游击队中大约是这样的：独立师独立团独立支队独立营，均建立有政治部（处）和政治委员，政治部（处）的主任及政治委员均应该是上级军政机关或政府的委任，但在特殊情形下，可以推定或选举最有信仰能胜任工作的负责者，在连队内建立政治指导员和救亡室的组织，政治指导员应该是直接在上级政治机关委任，救亡室干事会由全体军人大会选举，各政治机关科长干事，均由政治委员和政治部主任调任之。

4. 各政治机关和政治首长任务的原则是巩固扩大部队，提高部队战斗力，加强政治文化教育，并保证军事教育计划的实施。救亡室主要是军人课外的学校，文化娱乐工作的机关，一切工作都要遵照上面的方针和任务，有计划的在下面的平时和战时，居民，敌军，各工作中去实现。

（附组织系统表）

游击队政治组织表解

- 独立师政治部 — 主任
  - 技术书记
  - 抗日战线科
    - 科长一人
    - 干事一至二人
  - 民运工作科
    - 科长一人
    - 干事一至二人
  - 宣传科
    - 科长一人
    - 干事二人
    - 宣传队或流动剧社（十人左右）
  - 组织科
    - 科长一人
    - 干事一人
    - 青年干事一人
  - 党部

- 独立团（支队）政治处 — 主任
  - 党书记
  - 技术书记
  - 民运干事或股长一人
  - 组织干事或股长一人
  - 宣传干事或股长一人（宣传队三人）
  - 抗日战线干事一人

- 连政治指导员 — 救亡室干事会主任
  - 一排政治战士
  - 二排政治战士
  - 三排政治战士
  - 什务人员中政治战士
  - 政治军事研究委员
  - 文化娱乐委员
  - 经济协助委员
  - 流动短报委员
  - 民运工作组（兼纪律检查组）

第二节　平时政治工作

游击队平时政治工作，是根据第一节总的概则政治工作具体任务进行的，在这个总的任务下游击队平时政治工作应该是：

第一，保证上级的命令和每个任务的实现。在广大地区上的各游击队，在无论有无党派领导的或人民自动下组织起来的武装，要保证坚决执行抗日救国的各种政策和政府抗战的主张。

第二，游击队平时的纪律的提高，对群众影响和战时战斗力有密切关系的，所以要保证每个游击队在平时不侵犯群众一点利益，并能够与群众密切联系，取得群众的信仰和各方面的帮助。

第三，游击队要完成它的总的任务，必须保证本身扩大和巩固。——在平时经常注意从人民中吸收积极的抗日分子，参加游击队和帮助地方进行人民的武装组织；在自己部队中从政治上加强教育，肃清汉奸，使得本身迅速扩大和巩固。

第四，游击队平时要注意本身给养和卫生的保证，在积极行动中劫夺敌人的粮食资材，在自己根据地上发动人民，帮助给养资材供给，在部队中提高个人和公共卫生，适当的安置病员伤员，经常以自己的人员或发动群众，对伤病员的疗治和慰问等。

第五，提高民族警觉性，防止与肃清汉奸分子的破坏，在最近抗战中，不只一二次经验告诉我们敌人不仅是用自己凶恶的武力进攻，而且利用中国的一些汉奸托匪分子，以卑污的手段，进行破坏民族统一战线和分裂中国的抗日力量，在游击队中是特别应该注意的，经常对锄奸工作的加紧，并发动群众力量，以及地方的群众进行锄奸工作，是游击队平时政治工作重要任务之一。

第六，提高学习加紧文化娱乐工作——游击队在平时要利用一切可能时间进行军事和政治教育，游击队的战略和战术。政治上要注意教育中心，如抗战前途和日本疯狂侵略事实，提高每个队员的民族觉醒，军事技术要注意提高现代战斗动作。同时游击队队员在日常中，除了教育外，要多注意文化娱乐工作，进行晚会、表演、唱歌、讲笑话、读报、识字等，这些工作，应有计划的调剂进行，提高队员的高度政治情绪。

游击队要能完成上面平时政治工作各个任务起见，必须要求每个游击队政治人员和指导员有如下的注意：

一、建立经常的工作计划（短期的），不要茫无秩序。

二、政治人员与军事指挥人员取到密切联系，工作要配合。

三、经常从政治上鼓动队员的学习和参加政治工作，吸收与团结积极分子在工作周围。

四、保证组织上健全建立，注意从组织上推动工作。

第三节　战时政治工作

Ⅰ. 战时政治工作概则。

A. 战时政治工作任务，是巩固与提高游击队作战的战斗力，实现每个战斗任务，及争取战争彻底胜利。所以必需：

1. 深入战争的政治动员，提高指战员高度作战情绪及胜利信心。

2. 坚决克服在战争中所遇到的天然和人工及物质困难，特别在目前对付敌人新式武器。

3. 提高战时纪律，保证上级命令执行和任务的实现。

4. 依照作战的计划和实际环境，进行必要的军事宣传。（利用地形地物和伪装等。）

5. 动员全体指战员，特别是部队积极分子（党员）参加战斗中政治工作。

B. 战时政治工作特点要适合情况：

1. 宣传鼓动，内容要适合作战任务，假使是佯攻扰乱时，就不要鼓动；硬攻敌人的阵地等，才应该喊话。

2. 宣传鼓动的时机要适当，不要过早，过早易使情绪疲倦低沉下去，过迟又失掉效力。

3. 宣传鼓动方式要适合战术要求和情况变化。（如夜间和进攻退却时。）

C. 战时政治工作要注意居民和敌军工作：

1. 要在战斗中发动居民群众参加战争，帮助侦察敌情，帮助交通运输，及收容伤病员等。

2. 争取日伪军下级官长和士兵，一致抗日，号召他们反对日本军阀长官压迫，指出日伪士兵的出路，只有反正联合起来，共同抗日，才是真正的出路。所以我们在火线上喊话及散发传单均要经常注意。

D. 战时政治工作组织方式：

1. 战时政治工作中心，应放在连队，深入动员，发扬每个游击队员自动性和创造性。

2. 游击队的政指以及所有干部，要有工作的自动性和独立性，不等待指示和依赖上级。

3. 健全政治组织，一切工作经过组织领导实施，各种政治组织，要能起到连环作用，深入到每个队员中去。

4. 根据每个实际战况，提出具体宣传鼓动口号，政治人员与军事指挥员，密切联系去进行。

Ⅱ. 行军时政治工作。

游击队的行军，通常是走夜路和狭小的道路，休息时间是很少的，一般的急行军较多，进行途中政治工作，需要采用更灵活的方式，和利用时间，这个工作任务是：

A. 游击队行军中，政治工作主要任务，是发扬行军的勇往性，不怕疲劳和困难，保证行军纪律和速度的提高。利用一切可能时间，不妨害行军任务和军事秘密条件下进行政治工作。

B. 它的方式——注意建筑在政治人员自动性和积

极性上，如进行简易文化娱乐，研究政治军事问题，和沿途居民工作，收容落伍兵员等工作。

C. 在行军前应该注意如下工作：

1. 进行队前简单讲话，报告行军任务秘密为原则，检查人员武器，和驻地对居民纪律等。

2. 计划行军中所应进行的工作，居民的本身的和敌军的工作。给地方工作组，以沿途的具体指示。

3. 准备行军的干粮和开水，及协助军事指挥员，请好向导。

4. 注意部队伪装和静肃，加强前卫侦察中警戒的政治工作。

D. 游击队在行军中，遭遇着困难，如遇大敌，道路断绝，河水，泥泞等，政治工作必需做到：

1. 发现敌人不能按照原来道路前进时，政治人员应迅速协同军事人员即刻定下决心，改变行进道路，免遭无谓损害。

2. 在道路阻碍不能依照计划达到目的地时，必须协同指挥员从新找好道路，不要一成不变的使任务失利。

3. 遭遇每个困难环境，应提出清楚的口号，进行简单的解释，不要招致了队员的恐慌和对任务的悲观。

4. 在每个困难环境下，游击队政治和军事干部，要以身作则，坚持意志，以高度的刻苦性，和胜利信心，去影响队员。

Ⅲ. 袭击敌人时政治工作。

游击队的作战动作，通常采取袭击敌人的办法，而取到胜利袭击时，政治工作应该特别加强，这时政治工作一般的任务如下：

A. 袭击前政治工作：

1. 政治人员，首先清楚了解袭击任务，提出具体口号，进行深入的动员，提高队员勇敢的情绪，和胜利信心。

2. 保证在行动中，严格遵守秘密，清楚了解任务，按时达到袭击地，突然袭击敌人，收到战役动作的奇效。

B. 在袭击中注意的是：

1. 宣传鼓动内容，应说明我们优越条件，每个队员有突然袭击的把握，不致畏敌而动摇决心和胜利信心。

2. 适当的配置兵力（钳制突击），要在政治组织上，加强突击队方面政治人员及党员的力量，保证在战争剧烈中，不发生意外。

C. 袭击成功时政治工作注意：

1. 政治人员，应该协同军事指挥员，迅速处置战利品，对武器应发动队员携走，和发动群众的帮助运送，不能携走的，应迅速以求毁坏，特别是重兵器。（如飞机坦克装甲车等。）

2. 对物品粮食，除自己能带走外，尽量分发群众，无法分散时，仍需要以火焚毁，不要再给敌人。

3. 迅速处置俘虏，及伤兵，但须注意当时环境，能否带走，要适当处置，特别是自己的伤亡，不要随便遗弃战场。

4. 迅速扩大自己胜利宣传，鼓励士气，准备扩大战局，和取得新的胜利。

Ⅳ. 埋伏时政治工作。

游击队设埋伏，是在敌人前后左右的道路上，乘敌人不备，突然给以打击，特别是敌人的运输交通队，更易收到效果。在政治工作上，应该注意的是：

1. 保证行动的秘密静肃，特别是埋伏中的忍耐性和政治情绪。

2. 严格防止逃亡现象，和个别坏分子走漏消息，使埋伏不成功。

3. 保证部队在埋伏待机中的给养准备，不要因给养而失掉埋伏成功的机会。

4. 在埋伏过程中加紧个别的及集团的政治鼓动（但注意秘密为原则），提高士气，不要使队员在待机中勇气消沉。

5. 时机一到时要在一举动作中，进行战斗，不要呆板等待命令，和不适合的路线，每个小的单位（排班），都要有灵活自立的动作，严密配合，收到战斗迅速之效。

Ⅴ. 破坏敌人的交通要道的政治工作。

在抗日民族革命战争中，游击队要配合主力的正规战斗，和扰乱敌人后方，给敌致命打击，对于破坏敌人交通要道，是一件重要任务。

晋北战争时，使敌人在忻口不能前进，和受到中国军队以极大的打击，正因为第八路军截断敌人的平型雁门两要道，配合了正面战斗的部队。所以游击队在今后应该大大发扬这种作用，他的政治工作应该是：

1. 游击队首先清楚了解当地所有交通道路的情势，

特别是敌后方翼侧的桥梁公路铁道等。

2. 游击队进行破坏交通要道之前，必需估计某道的重要性，和地形上的便利，对自己行动没有损害的地方。

3. 在破坏之前，要充分准备工具，如炸药锤钳等。

4. 破坏之后，可利用地形，埋伏起来，伏击敌人的车辆，劫夺敌人的辎重。

5. 在分配这种任务时，要选择最积极勇敢的队员，特别是勇敢的党员。

6. 在破坏之后，游击队军事政治干部要亲身检查是否确实，以免形式上破坏，而收不到实际的效果，这是在政治工作上，必需保证的。

Ⅵ. 战后的政治工作。

游击队在每次战斗后，要迅速给以整理，以便继续不断的作战，指挥者应估计到游击队不会有长期休息，所以他的工作应该：

A. 每一个战斗成功后，要迅速处置战利品，军用资材的搬运，伤员的安置都要及时妥当，迟疑是会对敌人有利对自己有害的。

B. 在每个战斗成功后，对俘虏要适当的处置，并且注意指定自己部队中，政治人员或战士，进行宣传鼓动工作。

C. 对自己本身组织，因战争破坏，要及时整理和补充，以免停止工作，妨碍继续作战。

D. 胜利后，必需扩大胜利宣传，鼓励士气，继续争取新的胜利，防止骄傲轻敌现象。

E. 战争如果失利或未成功时，要加紧解释，与说明这次失败的原因，及今后克服的办法，提高胜利信心，消灭悲观失望的倾向。

第四节　对居民的政治工作

一、对居民政治工作的意义。

1. 要进行神圣的民族抗日战争，争取抗日战争胜利，单凭政府与军队的抗战，是不够的。只有动员全国群众力量，争取全面全民族抗战，才是实现抗战胜利的先决条件，游击队是执行这一任务的宣传者与组织者。

2. 游击队，要能在日寇势力范围内，和深远后方，进行坚持的游击战争，破坏与削弱敌人，完成自己的任务，并能生存与扩大，只有依靠群众基础，才能达到这一目的。

3. 抗日游击战争，是一种持久的艰苦斗争，要冲破一切胜利的困难，解决一切需要与补充，须在群众拥护条件下方有可能。

二、游击队与地方工作。

1. 游击队是一种小规模的非正式的军事组织的群众武装组织，它的产生与活动，完全依靠于广大群众的同情和拥护，要群众做它的耳目和手足，否则不能存在。

2. 游击队的给养和伤病员的休养治疗，完全依靠于群众和地方政府的供给和帮助。

3. 游击队要繁殖新的游击队，并扩大自己，成为正规军队，这同样依靠于群众的积极参加，和地方政府的帮助及拥护，因此地方工作对于游击队，更有它的伟大的重要意义。

三、怎样扩大抗日宣传?

1. 游击队的要诀是“政治上公开，军事上秘密”，所以游击队在不妨害军事秘密条件下，在政治上任何时候，均应表明自己的鲜明的面目，发布自己政纲，随时注意帮助群众，消灭敌人，取得群众信仰与拥护。

2. 抓住日寇侵略中国行为，揭破日寇对中国阴谋，屠杀，摧残的罪恶，和一切欺骗宣传，提高群众抗日政治动员与抗日情绪，反对日寇分裂中国的自治运动。

3. 灵活运用抗日主张，（如最近政府所公布的法令及十大纲领等。）适合各地群众生活，实际要求提出更具体的宣传材料。

4. 提出救中国，需要中国民族各阶层的责任，——有钱出钱，有力出力，有知识出知识等。

5. 宣传鼓动的方式：

A. 出布告发传单写标语。

B. 个别讲话，及集合群众演说，小范围晚会，请群众吃饭，茶点会等。

C. 开群众大会，军民联欢会。

D. 化装表演，画报宣传。

E. 宣传内容要地方化，通俗化，要适合宣传对象的要求。

四、怎样使游击队与群众建立正确关系？

1. 严守纪律，不妨害群众利益，提高纪律是实际行动的宣传。

2. 遵守当地群众风俗，习惯，宗教，信仰自由。

3. 实行对居民借房子，及辞别的进出宣传。

4. 帮助群众解决困难与劳动，在不妨碍本身任务时，帮助居民耕耘。

5. 说话要和气，买卖要公道。（特别是杂务人员采办人员等。）

6. 个别被反革命汉奸欺骗逃跑的群众，在万不得已时，吃了他们的东西，必须留钱与信件安慰。

7. 个别发生犯纪律者，按情况处理赔偿，影响极坏的应在群众中公审，向群众承认自己的错误，甚至执行严格纪律。

8. 不论任何违反纪律行为，应坚决与这种倾向作斗争，并在部队内，保证纪律执行与检查等工作。

五、怎样去动员与发动群众斗争?

1. 在发动抗日斗争中，应与群众切身利益密切联系起来，反对空洞的过左或过右的口号。

2. 游击队应帮助与发动群众肃清汉奸工作，发动群众参加抗日战争。

3. 在抗日民族革命中，除没收日本帝国主义，及汉奸卖国贼财产，分发群众外，应遵守自己统一战线策略，不随便侵犯任何阶级利益。

4. 利用日寇屠杀镇压行为，以作我们动员群众发动斗争的活的内容。

六、在群众斗争发动后，应迅速组织与团结群众，武装群众，始有力量与敌人作斗争，不会使斗争遭受摧残与失败，组织形式应采取：

1. 吸收斗争积极工农分子以及爱国的青年知识分子等建立中心救亡组织（国民党，共产党），训练大批的积极斗争的干部，成为各地抗日斗争的堡垒。

2. 在收复区域，根据民族统一战线的原则，与当地群众斗争要求，及实际情况，建立秘密或公开抗日救国会，各种革命团体，与武装组织，繁殖新的游击队。

3. 在收复地区，群众革命斗争相当激烈成熟的地方，可以建立革命政权——抗日救国政府等，创造新的抗日根据地。

4. 原有的救亡团体，组织政权的地方，应协同帮助地方进行，健全改造训练等工作。

5. 游击队与地方政府的关系，游击队在离开自己范围到达别的区域行动与工作时，应受该地最高军政委员会指导，并受军区的指挥（游击区）。

七、游击队在争取居民工作中，本身应注意的工作：

1. 动员群众帮助游击队，——带路，送信，处理伤病员，运输，当侦探，任警戒等工作。

2. 宣传鼓动群众，参加游击队，扩大自己本身。

3. 在执行上述任务时，游击队应加强本身教育，特别是政治工作，消灭游击主义，脱离群众的现象等习惯。

第五节　对日伪的政治工作

（一）争取敌军工作的重要意义和目的。

1. 抗日民族革命对象，是中华民族抵抗侵略者的自己战争。我们的敌人是日本的法西斯军阀财阀，是日本几个野心家，并不是日本的全体民族和革命大众。这是我们在基本上应该认识的。所以我们要争取日本广大的被欺骗的而远征到中国来进行战争的官兵，成为目前抗战中重要工作之一。这些士兵，在过去东北华北和最近各战线上，都表现了他们对战争的不满，和对我们抗战的同情，我们如有很好的工作是可以争取瓦解转变到我国方面来的，可以增加抗日民族革命战争的力量，更能迅速收到抗战胜利的实现的效果。

2. 游击队它有更便利进行日伪军的工作，因为它在敌人的后方翼侧，时常可以深入敌人驻地，接近敌人的地区活动，所以游击队更要积极地用文字的或口头的进行揭发日寇的武断欺骗宣传，使广大敌军特别伪军中有民族意识的官兵，脱离日寇汉奸的欺骗的影响，不替日寇汉奸当炮灰，不做日寇汉奸的工具，清楚的认识敌人，认清他们自己的朋友，而转到与我们联合，共同反对日本法西斯蒂军阀，动摇政治情绪，瓦解其内部组织来配合抗日军作战的胜利。

（二）对日伪军工作进行的一般的原则。

第一，是对敌军的调查工作，这种工作，是技术的，紧密的，办法需依靠群众的帮助，主要方式和内容是这样的：

1. 敌军番号，部队来历。2. 部队编制，人员组成，籍贯，武器，战斗力。3. 官兵的关系。4. 士兵日常生活情形。5. 敌军对抗日和我们的认识与影响。6. 法西斯蒂欺骗宣传内容与方式。7. 敌军官长姓名，历史关系，能力。

第二，对敌军的宣传鼓动工作。

甲、宣传内容：

1. 根据调查材料，订出更具体适合该部队要求的政治宣传与口号。

2. 提出中国抗战的出路及胜利的前途，提高敌军官兵对抗日战争正确认识。

3. 揭发日寇对伪军，及对中国人歧视压迫屠杀和侮辱的行为，增进伪军官兵对日寇的民族仇恨。

4. 揭破日寇在伪军中，一切欺骗宣传引诱，诡计等行为。

5. 扩大宣传我国政府抗日主张和十大纲领及中国抗战的目的和任务。

6. 对敌军部队应该说明中国抗战的意义，对日军官兵态度，指明侵略战争为谁出力，为谁争胜利，战争会对日本工农大众有什么痛苦和前途，中国抗战胜利与日本反战胜利的关系和前途，并揭破一切民族武断宣传等。

7. 对伪满军，公布反正投诚奖励优待的办法。

乙、宣传方式与方法：

1. 中日文字翻制布告传单标语。

2. 战场组织中日语言的喊话队，进行喊话呼口号等宣传。

3. 经居民关系进行敌军工作。

4. 优待俘虏，训练俘虏，吸引其积极参加工作。（可能与需要时放回。）

5. 利用各种社会关系，打进敌军中去工作。

6. 利用敌军中官兵家属写信宣传等。

7. 与东北日本朝鲜共产党和革命团体发生关系，经过他们到日伪军中去进行工作。

8. 利用技术宣传，如飞机散发宣传鼓动传单和孔明灯等方法散发宣传品。

第三，对日伪军俘虏，应该很好的优待，尽可能保证在火线上不杀害，对每次俘虏来的官兵，应有组织分配，懂得日语的战士或干部同他们谈话，进行宣传，安定他的心理，有组织送到后方进行教育工作。

（三）附：对敌军的工作纲要。

一、关于对敌军士兵宣传工作：

1. 根据二个月来的战斗经验，及与俘虏兵谈话的情形，在火线上对敌军士兵喊话，和普遍的进行文字宣传，是一件很重要的工作。在广阳战中，由于我方战士的喊话，能使正在拿枪顽抗的一个敌军，立即放弃武器而跟着来，这证明在火线上进行喊话是很有效力的。

2. 各师团敌军工作部（股）应立即依据发下之“对敌兵喊话材料”及“敌兵宣传标语”协同宣传部（股）在部队中进行日语的教育，要做到每个战士学会几句最简单而很重要的口号。

3. 要使我们的战士深刻地了解到对敌兵喊话，从政治上来瓦解敌人，是减少损失争取战争胜利的必要条件之一，要克服认为日文不容易学习的成见，指出学会几句最简单的喊话，是不难的事情。

4.“对敌兵宣传标语”各单位宣传队须立即学会能写，（能说当然更好。）在敌军可能占领的地方，普遍地涂写。在接近敌军地区可组织武装宣传队去进行宣传。

5. 在有伪满军或伪蒙军参加作战的地区，应制出适合于当时情况及具体情形的宣传品。(最好是满蒙原文。)

二、火线上对敌兵喊话材料：

1. 日本の兵隊さん！（日本兵士弟兄们！）

2. 武器を渡せ！殺さない！（缴枪！不杀你！）

3. 我等は捕虜を優遇する。(我们优待俘虏。)

4. 侵略戦争を反対せよ！（反对侵略战争！）

5. 日本帝国主義を倒せ！（打倒日本帝国主义！）

6. ふわしすと長官を殺せ!（杀死法西斯蒂官长！）

7. 支那兄弟を殺すな！（勿杀中国兄弟！）

8. 我等の敵は日本軍閥だ!（我们的敌人是日本军阀！）

9. 内地へ帰るのを要求せよ！（要求回国去！）

10. 我等は敵軍の負傷者を治療する。(我们医治敌军负伤者。)

11. 帝国主義日本の政府を倒せ、労働者農民の政府を樹立せよ！（打倒帝国主义日本政府，树立劳动者农民政府！）

12. 対支侵略戦争は財閥軍閥をして儲かるばかり、労働者農民は戦争に依る負担の加重と飢餓とあるのみ

だ。(对华侵略战争只使财阀军阀发财，工农只有增加负担和饥饿。)

13. 貴方の家族を貧困のとん底から救うために日本帝国主義者と戦え！（欲救你家属的贫困必须与日本帝国主义拼命！）

14. 侵略戦争を消滅しなくては農村危機と失業増加を克服することができない！（非消灭侵略战争不能克服农村危机与失业增加！）

15. 汝の生命を愛せよ！财閥軍閥の犠牲になるな！（爱重你自己！勿做财阀军阀的牺牲品！）

16. 日本兵士不打支那兵士、支那兵士不打日本兵士、共同して日本帝国主義を倒せ！（日本士兵不打中国士兵，中国士兵不打日本士兵，共同打倒日本帝国主义！）

17. 武装解除せよ！八路軍の方へ来たれ，われ等は君の手を堅く握る。(解除武装！到八路军来，我们将热烈的和你握手。)

18. 世界平和を擁護せよ。(拥护世界和平。)

19. 日本民衆支那民族を解放するには日本帝国主

義を倒さなければならん。(欲解放日本民众和中国民族必须打倒日本帝国主义。)

注意事项:

1. 在火线上喊话宜接近敌人，但须注意隐蔽，不致因喊话而被敌人发现目标。

2. 在喊各条口号之先，可以先喊第一条“日本の兵队さん”以引起对方注意，同时表示客气。

3. 宁喊慢，力求清楚，不可太快，致发音不明。

三、对敌军宣传标语:(涂标语纸标语适用)

1. 支那民衆を聯合して日本帝国主義を打ち倒せ!(联合中国民众打倒日本帝国主义！)

2. 対支侵略戦争を反対せよ！(反对对华侵略战争！)

3. 帝国主義軍閥に騙されて犠牲になるな！(勿受帝国主义欺骗而牺牲！)

4. 父母妻子を泣かすな！内地へ帰るのを要求せよ！(勿使父母妻子啼哭！要求回国去！)

5. 銃口をふあしすと長官に向けよ！(枪口向着法西斯蒂官长放！)

6. 弾を空に支那兄弟を殺すな！（子弹朝空放，勿杀中国弟兄！）

7. 日本兵隊さん！我等は同じく被圧迫の友達だ。我等の間に白刃を見るな。（日本士兵们，我们都同是被压迫的朋友，我们勿以白刃相见。）

8. 我等は武装解除した敵軍兵士を殺さない。（我们不杀解除了武装的敌军官兵。）

9. 武装解除せよ！支那民衆を団結せよ！（解除武装！和中国民众团结起来！）

四、对伪满军宣传标语：

1. 关外同胞勿受日本帝国主义欺骗！

2. 关外同胞欲求解放，必须与关内同胞联合，一致反抗日本！

3. 关外同胞和关内同胞本是一家人，中国人不打中国人！

4. 伪满军的将士们！杀死日本顾问和军官，反正过来！救国家！救家乡！

5. 不杀满军俘虏，优待满军俘虏！

6. 驱逐日寇收回东北！

7. 打倒压迫关外同胞的伪满政府！

8. 伪满政府是日寇制造的傀儡政府！

9. 援助东北义勇军和人民革命军！

10. 援助关外同胞，收回东北！

11. 开回东北，救家乡去！

12. 反对日本帝国主义屠杀压迫东北同胞！

13. 打倒日本帝国主义，誓死不做亡国奴！

14. 肃清汉奸卖国贼！

15. 中华民族解放万岁！

五、对伪蒙军宣传标语：

1. 蒙古同胞觉醒起来！不要受日本帝国主义的欺骗！

2. 蒙汉都是被压迫的民族！

3. 中国被日本灭亡了，蒙古人也不能生存！

4. 汉人不打蒙人，蒙人不打汉人！

5. 汉人蒙人联合起来打日本！

6. 打倒压迫蒙人的日本强盗！

7. 反对日本强盗灭亡蒙古同胞的阴谋！

8. “防共”是日本强盗灭亡中华民族的毒辣政策！

9. 八路军主张民族自决，蒙汉平等，蒙人的事由蒙人自己管！

10. 打倒帮助日本宰割蒙人的走狗奸细！

11. 驱逐日寇出境才是蒙人的生路！

12. 觉悟的蒙军将士们！掉转枪口杀死压迫你们的日本军官！

13. 不杀蒙军俘虏，优待蒙军俘虏！

14. 反正过来！和中国同胞一致反抗日本！

15. 汉蒙团结万岁！

16. 蒙古同胞解放万岁！

六、告日本士兵书：

出征の兵士诸君：

全農　　全水　　総同盟　　産組　　郷軍有志団

ああ悲惨だ！血を流し命をなくして誰の利益を守るのか！軍部財閥は戦争でたっぷり私腹をこやみで居る。

郷里の妻や子は貧苦と病苦にあえいでいる。

満州事件二十万の死傷者は誰のために犠牲になったか？軍部の野心、財閥の搾取のために殺されたのだ!

私達はもう軍部財閥のうまい宣伝にごまかされない。戦争と大衆の地獄生活は軍部の野心、財閥の搾取が続くかぎりけっして終わらないのだ。

支那人は敵か否か、日本軍閥財閥が支那を侵略せんとするかぎり私達は無理な戦争と資本家の搾取のため死んでいかなければならないのだ。

戦争は必ずしも愛国ではない。真の愛国、真の国家観念は大衆の生活向上である。大衆生活を踏みにじる軍部と戦争こそ民衆の敵の国賊だ。

即時平和。

軍部め兵士の命を返せ!

第二章　防空防毒

第一节　防空

1. 积极防空包括：以驱逐机，高射炮，高射机关枪，重机枪，轻机枪，步枪，对空射击与战斗。

以系留阻塞气球，照空灯，听音机，测高测远仪，补助对空射击部队的防空能力。

游击队虽然没有如上所说许多的防空兵器，但他本身轻重机关枪步枪是有的，所以他在某些时机仍然不要放弃积极对空防御。

2. 消极的防空包括：以伪装，分散，与工事防护，避免空袭的损害，游击队对消极的防空应该是尽量作到，以补救积极防空手段的遗漏。

（甲）行军间的防空——目的在减少敌机袭击的危

害，使行军不致发生迟滞为主。

注意下述事项：

1. 每个指挥员和战斗员，须用各种树叶蒿草做成伪装帽及伪装衣，或携带已装就的伪装衣及幕布。

2. 担子车辆马匹均须施以同样的伪装，具有反光东西，要特别注意遮蔽。

3. 指定轻重机枪为对空射击部队，以备必要时的对空射击。

4. 在行进时，以中队为单位，派出对空瞭望哨一二名在中队前面或侧首行进，担任对空瞭望和听察。

5. 部队以行进道路两侧为原则，通过村落街市时，应由街的两边屋檐下行进，避免敌机之侦察。

6. 遇开阔地应用疏开队形（加大各中队间的距离和间隔）或以中队为单位，成梯次式迅速通过。

7. 通过凹道隘路或渡河点时，应先以重机关枪占领两侧高地掩护迅速通过，或采用逐段的迅速通过，切忌堆聚隘路口和渡河点。

8. 休息时须选择隐蔽地——森林，村落，阴影处，凹坎，岩谷，河岸等地分散隐蔽，同时值班部队应占领

射击位置以行休息。（插图三十五）

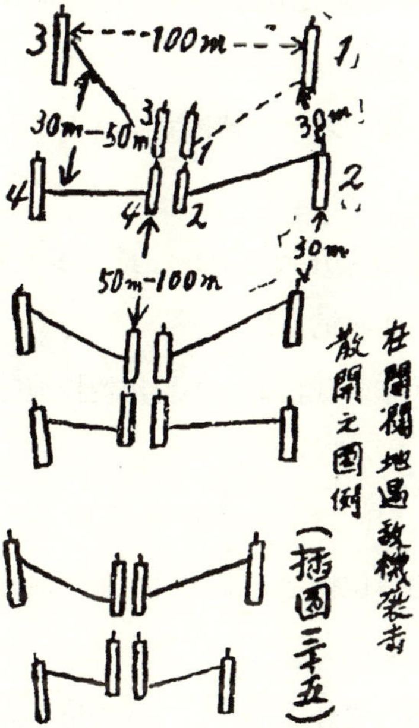

（乙）宿营时的防空——目的在隐蔽部队驻地以减少敌机袭击的损害为主。

注意下述事项：

A. 露营：

1. 露营应选在森林内地隙，干沟等地方，以树叶作成棚子防敌机之视察。

2. 驻军直接警戒，兼任对空监视哨，敌机来袭，应令司号发出防空警报（司号员有时也要担任对空监视哨）和维持次序。

3. 洗涤衣服要曝在隐蔽地方，特别是红白色的服装更宜注意。

4. 露营地附近开阔地道路，禁止多人猬集与往来，河边及草场禁止牧饲。

5. 所有大车驮载辎重，都要用树枝掩盖，勿使暴露空中。

6. 非炊饭时间禁上大肆烧火。

7. 以连为单位指定遇空袭时隐蔽的地方。

B. 舍营：

1. 村外道与村外周围，禁止人马猬集。

2. 除担任射击及监视，守卫，巡查外，一律深藏屋内，对交通有不便的地方，可洞开墙壁。

3. 在四周森林，草丛中多设待避所（挖防空隐蔽沟），有三天以上的休息，应挖防空掩蔽部。

4. 一切衣服和军用品，不许晒于露天空坪中，特别是发光和红白色的东西，更要注意隐蔽起来。车辆马匹不可放在暴露的地方，要利用草棚森林隐蔽起来，必要时加盖伪装。

5. 于战术无妨的范围内（情况许可），得分为若干群（中队为单位）分散宿营，或晨起后远避于森林内，待暮归还。

6. 严格规定停止炊事烧火熏烟的时间。

7. 支队在一地长久驻止时，应组织救护队及消防队，号召群众储存用水，预防火灾的发生。

8. 当敌机突然施行空袭时，除任勤务者外，其余部队，一律携带战斗用品沉着迅速赴预定之待避所，切勿喧闹，慌乱和拥挤。

9. 当敌机不断空袭时，应特别注意地上的敌人，不断的派出侦察与警戒。

10. 夜间空袭时，须灯火一齐扑灭，静坐于屋内，禁止嘈杂喧哗等。

（丙）战斗间的防空：

游击队很少实施正规的战斗，所以他对于战斗的防空，是比较简单的，特别是正规军的进攻战斗。

战斗间的防空——目的在使我任战斗部队，减少对敌人空袭的顾虑，能专一对敌地上部队战斗以期获得战胜的效果。

1. 在运动防御战斗中之防空，阵地前沿诸火力点要很好的伪装和加强起来。

2. 运用战术的眼光，多作伪工事，以欺骗空中之敌。

3. 没有加入战斗前，禁止在交通壕内运动，加入时绝对隐蔽到达守地。

4. 退出战斗，最好是利用黑夜，有时必须在白天退出时，则应选好隐蔽退却路，指定掩护部队。

5. 袭击时，愈是接近敌人，愈是无轰炸。

6. 追击时，第一梯队须紧接敌人的后尾部队追击。第二梯队，应由此一隐蔽地，转到彼一隐蔽地取捷径以截断敌人的退却路，不应因敌机之掩护而停止追击。

7. 遭遇战斗，首先被敌机发现，距离尚远时，则应避道遁去，如隔敌人距离不远时，应迅速的接近敌人求得白刃扑搏。

（丁）对空射击：

对空射击，只有在敌机向驻止部队投掷炸弹或射击机关枪，高度在六百米达以下时才有可能，因为对空射击命中率的低微，弹药的缺乏，技术的粗劣，防空武器的有限，一般敌机在中空以上飞行即不射击。

轻重机枪对空射击，可带高射环，及瞄准测高机，步枪对空射击，则用最简单的方法。

对空射击，不是一件很容易的事情，要使队员们大家都能以精确的计算，仪器测量，事实上是不可能的。

但是要使对空射击有效，同时又便于理解记忆的方法，则应有比较固定的方法：

第一法：飞机由前方飞来时射击法。（插图三十六）

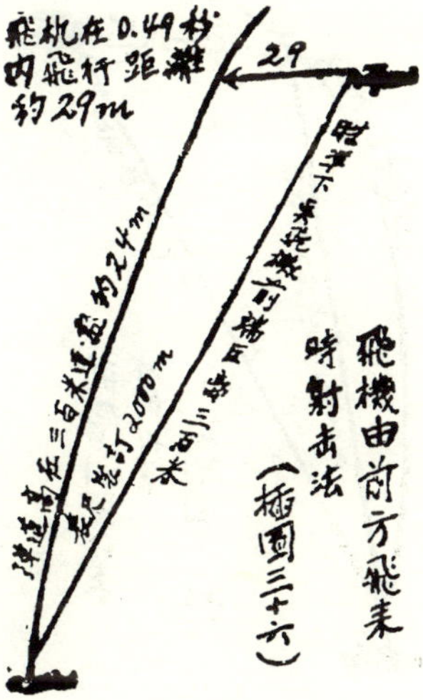

射击由正方来或由正后方去之敌机所应采取之瞄准方法与表尺。

飞机高度	瞄准点	飞来时表尺	飞去时表尺
100m 以内	飞机前端	1500	200
100—300m	飞机前端	1800	200

距离 300m。子弹飞行时间 0.49 秒。

飞机每秒平均速率约 60m。

以子弹飞行时间乘飞机的飞行速率则得真距离之数目。

0.49 × 60=29.4m。

此法是利用飞机速率与子弹速率相撞于一点。

第二法：敌机由测方飞来时射击法。（插图三十七）

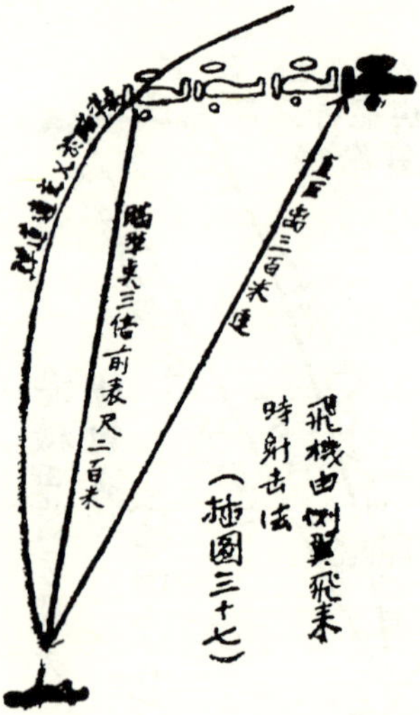

射击由侧方飞来的敌机应采取之瞄准方法与表尺。

飞机至射击位置距离	瞄准点	表尺
100m 以内	所见飞机身长一倍前	300m
200m 以内	所见飞机身长二倍前	300m
300m 以内	所见飞机身长三倍前	300m
400m 以内	所见飞机身长四倍前	300m
500m 以内	所见飞机身长五倍前	300m
600m 以内	所见飞机身长六倍前	300m

第二节　防毒

（甲）毒气不足畏。

1. 游击队是一个飘忽不定的武装部队，经常活动于敌人的翼后，遭受毒气袭击的时机是极少的。同时在他自己的侧后施放毒气企图致死我们游击队事实上是不可能的，——而且也不会这样愚蠢的。

2. 毒气都是一般的复杂的化合物，依据化学性质上说来，都是不稳固，容易被他种成分分解的，有的遇水或遇潮湿的空气即能分解，有的遇碱类，氧化剂，还原剂的时候即能分解，所以我们有理由来说没有一种毒气是不能防御的。

3. 毒气受天气的限制，要是下雨，起大风，都足以使毒气分解或飞散，天气太热太冷，都足以部分的减弱毒气效力，与减少毒气的持久性。

4. 毒气受地形的限制，因为毒气的制作不易，价值昂贵，所以他只能在某些地区使用，不能在整个地域上使用。同时毒气是有时间性的，过了一定的时间就会失去效用。

我们可以武断的说毒气对游击队并没有什么可怕的地方。

不过在某种条件下是不得不防备的。（如围攻游击区，袭击游击区域内的后方机关等。）

（乙）怎样防毒？

毒气对游击队无过大的威力已如上述，因之游击队的防毒方法也比较简易。

A. 防毒主要的药材：

1. 碱（或叫苏打，曹达） 色白味微辣，可用于套中或门幕内，可用于洗涤中毒衣服用具。

2. 石灰 是将烧好的石灰块用盐水化开烘干后，可装在帘布内，避毒室的出气洞中，可撒在屋顶，壕沟，避毒室的周围，并可用于被毒气袭击的地带消毒。

3. 硫酸纳　这种药品能和氯溴等质结合，各种毒气多数是含有氯和溴的，以次亚硫酸纳使毒气变化，是一种还原剂。

4. 漂白粉　这是一种氧化剂，含砒毒气以及芥子气，漂白粉均能溶解。不过漂白粉是含有氯气的，不适宜使用于口套上。

5. 活性炭素　是用干馏法制成之初级炭，再加水蒸气加活后所制成的，富有吸收性。

此外还有许多化学药品不能例举——因为那些较难办到的药品，游击队很少找得到的。

B. 驻军时的防毒设备：

游击队在一个地方驻止，估计有毒气袭击的可能时，则应建筑防空防毒隐蔽部。

防空和防毒差不多都是有联系的，建筑防空掩蔽部，同时应用防毒设施。

建筑时应注意事项如下：

1. 掩盖宜坚厚，以抵抗爆炸威力。（以砖石三合混凝土水门汀捣固为宜。）

2. 门宜坚固，且是不可燃烧的物质，关闭处宜紧密，室门宜向内门。

3. 每个防空防毒掩蔽部宜设施两个出口，以免发生意外阻碍不能出入。

4. 在进口前宜设一毒气闸和吸收外界空气筒。

5. 人数太多的防毒室，当设法预防二氧化碳的增多而氧气减少的危险，其法有二：

（1）设立过氧化钠之药包，以便吸取二氧化碳而供给氧气。

（2）用石灰乳涂刷墙壁以凝结二氧化碳，同时由氧气筒供给氧气。

6. 室内不宜点煤油灯与清油灯，要点电灯。（可以将手电筒上面一节下去，只留灯泡，可代电灯。）

7. 室内陈设：坐处、肥皂、堵塞器材、消毒器材、饮水。

8. 设立电话同外间通讯。

（以上所述以能作到为标准，如有困难，可讲求代用方法与适当省略之。）

C. 行军间的防毒：

1. 行军中突然遭受到毒袭，切勿恐慌奔走，应用毛织品掩着口鼻对风走去。

2. 避免毒气，不要站在低凹的地方和森林草丛中去躲避，要站在高的地方。

3. 如有防毒面具，即迅速戴上，没有可将自己预先作好的防毒口套戴上（预先以适当之防毒药品制就的）。如果没有时，可将自己的尿撒于地上，和成水泥，将几层毛织物（最低限度要八层）重叠起来，扑于口鼻上。

4. 如果眼睛觉得难过，没有东西可戴的时候，在情况不紧张的范围下，可把布遮蔽眼部，眼睛闭着；如果觉得皮肤变色，或有些同平常不一样，赶快用布将面完全包着，戴上手套；如果手上触着水滴一样的东西，赶快用棉花吸干，不要乱擦。

5. 将凡士林油涂于曝露的脸手和阴部，防芥子气的侵入皮肤。

6. 如敌退却将毒气放于战壕内，我又不得不利用此壕时，可先派人将干薪抛入壕内，点燃后利用火的上冲力量将毒消除或飞散。（有时可将水洗刷。）

第三章　对骑兵的战斗

第一节　对敌人骑兵战斗的原则

有些人常常提到，游击队对付敌人骑兵的问题。好像骑兵的速度，足以支配我们的游击队，游击队在敌人骑兵的活动范围内，丝毫没有生存的可能。这是非常错误的观念。如果我们能以沉着冷静采取适当战斗保障的手段，（侦察，警戒。）如果我们适当利用地形地物，发扬准备的火力，则敌人骑兵对于我们，并无任何可怕的地方。

对敌人骑兵战斗的四个基本要求如下：

甲、要相信自己的战斗力，不但能够与骑兵战斗，而且能够消杀骑兵。我们指挥员战士们，在发现骑兵时，都要保持绝对的坚定性。并且无论在任何地方，不要放弃一分钟的战斗准备。

乙、常遇见有可能遭遇敌人骑兵时，必须加强和规定一般的侦察警戒和通讯联络的方法，严格估计部队先机准备战斗。(依据骑兵运动速度来估计时间。)

骑兵接敌运动时五分钟内走一里。

骑兵冲锋时一分钟内走一里。

骑兵部队驻营时需要时间一至二〇分钟。

骑兵部队行军准备需要时间五分钟。

丙、要经常考察和选择地形，可能时并构筑工事加强之。尽量作成骑兵不能过的障碍物横于我们驻地之周围。当驻止时，则利用家屋并将诸房屋的通路口堵塞，而以鹿砦加强起来。当行军时，则由此一地区前进到彼一地区。凡前进地区，务须择能够抵御骑兵的突然冲锋的隐蔽地（如家屋、森林、高地，河川或溪谷之后等），并保障周围的观察。

丁、发扬强烈（浓密）的火力，是对骑兵战斗主要的手段。距敌人骑兵八〇〇米达起用重机关枪和步枪射击，诸机关枪都应就现地安排射击，或者全部由现地迅速前出到高地射击。步兵火力则按排或按连准照口令齐放。各种火力，至冲锋时，仍须继续射击。如必要时，并应直接抵近射击。

利用和巩固地形，与发扬强烈的火力配合起来，是对骑兵战斗胜利的保障。

当骑兵冲锋时，特别在其通过最后一两里的一分钟内，步兵必须尽量用自己的火力，来打破骑兵的战斗队形，而不要使其进入白刃战斗。无论在何时机，都不要丧失宝贵的时间，中止射击，去上刺刀。如果敌人骑兵真正杀到面前来了，则我们应该投掷准备好了的手榴弹。就是骑兵突入我们队伍中了，我们也应该毫不动摇地，以坚决的手段击溃他。

为要节省准备战斗的时间（在行进间通常不过五分钟）和保持火力的强度起见，自中队起及以下分队不应分开使用。诸分队应向骑兵来杀之方向变成横队，最好是四列横队（伏射、坐射、跪射和立射）的基本队形，进行射击。中队以上的诸部队，应该疏开队形，以便彼此相互之间，不妨碍射击为度，但不得因此延误时间。如果诸机关枪来不及在高地占领阵地时，则这些机关枪，就供诸分队的翼侧和间隙中，实行射击，但不可在诸分队前面，妨碍其步枪射击。

对骑兵战斗（使用手榴弹）应进行到胜利为止，如在敌骑冲锋时，企图退出战斗，这是非常危险的。只有能够在后方，有利用地区，适时组织火力阵地时，才可以进行有组织的后移。否则后移很容易变为紊乱逃跑，而使部队失去掌握，增大骑兵在追击中的作用。

另一方面说来，如敌人的骑兵冲锋被我们击退时，则我们应对退去较近之骑兵，继续进行火力的追击，如果敌人骑兵的退却路上，有其不能通过的障碍物时，则应该进行运动的追击。

第二节　侦察警戒的组织

当组织诸种侦察警戒时，必须注意事项：

甲、派出侦察及警戒的部队，应出到能保障主力（干队）不致受到敌人骑兵突然的袭击。也就是要距主力不少于五里至一〇里，以及取得准备一〇到二〇分钟的时间。（这里要估计到骑兵愈接近敌人是速度愈快。）

乙、加强侦察及警戒的部队的兵力，使其能够与敌骑兵独立战斗而迟滞之，以使自己主力取得时间，来疏开部队，组织火力。因其主要目的，不在于消灭敌人，而在于取得主力准备战斗时间。加强之法，主要的是附之以自动武器“机关枪”，大概对侦察或警戒的中队，附以重机关枪排。（两挺。）

丙、对附近骑兵能活动的一切地形，都应组织侦察，同时应着重主要方向的兵力，而不应分散兵力于各个方向，警戒应是周围的。当行军时，特别要注意自己翼侧和后方，并且要知道骑兵在有些地形是可以在道路以外进行的。

当驻止时，通常是派出侦察的。在预料有敌人骑兵发现的可能时，则应派出警戒与侦察班，或警戒的侦察排（骑兵连同样采用的）于驻军警戒部队的两个距离处。（距其主力一〇至二〇里处。）其任务，不在迟滞敌人骑兵，而在于隐蔽观察敌情，适时报告后方部队。正值行军时，先遣侦察队的任务相同。

其他驻军警戒的组织，与通常的一样，（诸分队在其驻营门口安置的步哨，即使没有骑兵来袭，也能保障休息部队的安全。）驻军警戒员，有确实的防御任务。

首先应该在适当地方，据守堡垒，依靠就近的家屋。构筑障碍物，应有适切配合，（例如构成阻绝物，附以鹿砦和利用河岸，加以阻绝物之类。）否则容易被骑兵冲破。并且这些障碍物，应尽可能的连接一起，只须留出窄小的通过路口，此路口必须是弯曲的。

当露营时，一定要加强警戒，因时间和地形条件，不能构筑连成圆圈的防御阵地时，则我们应该仔细选出诸单独的阵地，筑成若干火力巢，使用交叉火力，来射击其相互间的间隙地。并且彼此之间，要有火力的联系。因此诸火力相互间的距离，如用轻机关枪，则相距是二〇〇至三〇〇米达。

夜间警戒，可以减弱的，但到拂晓，一定要用充分力量加强警戒。当行军纵队未出发完毕以前，不可散放警戒，军队到宿营地在出发时，在退却时，或进击时，稍不注意警戒，遇敌则队伍很容易发出混乱。敌人骑兵通常是利用到我们处在这些时候，来向我们袭击的。

我们一出开阔地（起伏地也罢），即使没有骑兵过大的威力，也要派出前方尖兵，及侧方警戒，以补前方警戒之不足。（侧方警戒要看敌人骑兵威力的程度如何来决定。）警戒部队前进方法，是由此一观察所，到彼一观察所，逐段跃进。如地形许可时，则行军警戒应于发现敌人骑兵之际，依托良好的阵地或房屋，使用自己的火力，进行防御战斗。如在不利的条件之下，则应避免战斗，同时隐蔽起来，以便于该骑兵通过之后，跟踪实施火力的袭击，来协助本队战斗。可是前方警戒与后方警戒，都应该用力阻滞敌人，以使本队取得准备战斗的时间。

我们的侦察及警戒，将所得敌人骑兵的情况，适时的预告本队，是有决定意义的，其通讯手段如下：

甲、规定发现敌人骑兵的特别警报，（不要与发现飞机的警报相混。）并拨出司号员，到侦察和警戒部队中去。

乙、驻止间的通讯联络，不但在各部队之间，而应与前出之驻军警戒部队，都应尽量使用电话或烟火信号。（参看第一编第六章第二节驻军警戒。）

丙、诸部队应使用骑兵通讯员，并有计划的分拨之于侦察队，行军警戒队或战斗警戒中去。

通讯的敏捷，就是我们及时准备与骑兵战斗所必要的前提。若不如此，那么骑兵动作的突然和迅速，倒有他的作用了。

第三节　遭遇骑兵时之动作

遭遇骑兵动作除了上述的一般原则之外，在各种不同的情况下，特别是在驻军和行军中，有其特质，今分类述之于下：

在驻止时：

大队在居民地宿营时，必须预先定出发现骑兵的战斗计划。这种战斗计划是根据于利用家屋花园墙壁之类。（这些地物，就是骑兵最难接近征服的障碍物。）机关枪应使用自己短兵火力，来射击这些接近地。分队则在坚固障碍物的后面，占领火力点，特别是高的窗户和屋顶。这种场合，通常用小的分队（班及排）进行战斗，自动枪应行接近射击。骑兵侵入村落时则这种战斗应与街市战斗原则相同，主要的，是使用步兵火器，甚至刺刀战斗。骑兵在侵入这种居民地时，其战斗队形，必然混乱，这给予我们消灭他的有利机会。

辎重及后方机关，通常是安置在居民地的中央，而以小的值班部队警卫之。这一部队，同时又是预备队。

如在森林或山地露营及战斗时，则对骑兵的顾虑，比较少些，在特殊情况下发现时，应与居民地的动作相同。如在没有天然障碍物的平坦地露营时，则露营应排列成为几层圈，对于外层的周围，应派出强有力警戒，对于第二层的周圈，则配置诸战斗部队，这些部队中间的间隙地，则配置诸机关枪分队，对于圆围的中央，则配置指挥机关司令部和预备队，这预备队兵力应当较在村落内的预备队稍为大些。

对敌人骑兵战斗，必须以有组织的火力打破之。为求如此，则须使成排或成连齐放为有利。如没有障碍物可依托，则我们与骑兵的战斗，不甚便利。如时机紧迫不容许分布兵力时，最好把整个分队对骑兵成密集队形，实行抵近射击，白刃格斗，抛掷手榴弹。

在行军时：

当在平坦地运动时，行军队形，应随时估计从队任何一方都有可能发现骑兵，以能对他迅速展开进行战斗，除实行上述侦察及警戒的手段以外，必须进行下述事项：

一、机关枪及其他火器，都应分配到各纵队中去，大多数的火器，应分重要的方向。（前进行军时分往前方。）

二、行李辎重及非战斗部队，不应简单的放在后面，而应放在最安全的地方，以有力部队掩护之。

三、行军纵队，必须缩短长径，最好是走慢些，以保持纵队集结。无论任何时候，经常集结行进的部队，最低限度，要有一个大队，万不可把部队拉得太长，致影响战斗。

四、当行军时，纵队应由此地区进到彼一地区，以行休息。这些地区，应选在有良好观察所的，能隐蔽的，能发扬火力的和有天然障碍物的场所。

五、当发现骑兵时除发出警报外，并应对纵队发出口令或信号，以指示骑兵来袭的方向，例如“前面（或右侧）敌人的骑兵”！部队闻令后即使用跑步转向骑兵来的方向，并接排接连成几列横队对之射击。机关枪则从其间隙地发射。对于地形物，应尽可能利用。（不是抢抵御敌人火力的地形，而是要抵御敌骑冲击我们的地形地物。）

六、关于发扬火力如上述。

比较独立的战斗部队，如因时间不能适时加入主要方向战斗时，则应自动地巩固自己的阵地，保障战斗部队的翼侧后方，使之连结起来，成为圆形掩护阵地，而据守之，防备敌人骑兵部队从另一方面来袭击，并尽可能前出诸机关枪占领火力阵地，对骑兵发射，以就近的侧射火力，来援助已进入火力战斗的部队。

当敌人骑兵突破我们纵队一点或数点时，仍应保持沉着独立作战，各个小的分队应自动的集结起来构成巩固的据点。

当有余裕时间及良好地形时，预先拨出诸分队，占领有利地点，顽强扼守起来。

第四章　教育训练

第一节　训练的特点

当我们还没有提出怎样教育训练之先，首先就要反对两种不正确的倾向：

第一种是以为游击队的产生，通常是在敌人的后方和侧方，始终在战备的状态中，没有时间进行训练，或者认为游击队只要有高度的牺牲精神就够了，不必进行训练。

第二种是主张进行长期训练后，再到敌人的后方去活动，他的意见凡未经久经训练的部队，企图在敌人的侧后方活动起来，是经不起敌人一击的。

这两种说法，在表面上看来，好像是有一部分理由，但在实质上，完全是不正确的。

我们从许多体验中，知道游击队虽然是在敌人的环境中生长起来的，虽然周围都有敌人，天天在战备状态中；但是他并不是天天同敌人战斗，还有许多时间可以利用作为训练的时间。

至于只要有高度的牺牲精神就够了，反对训练的见解，那更是错误的谬见，必然会将游击队断送到不可收拾的地步。

主张长期训练后，再到敌人后方活动去，这也是不估计情况下而下断语的。他不了解游击队的产生，是在敌人后方和侧方，由“不愿意做亡国奴的同胞”自动组织起来的。在另一方面他把军事的动作，看得过分的太重要了，试问假使游击队专凭他的军事动作，以他单纯武器，些小的数量，能战胜敌人吗？没有明确的行动纲领，没有高度的政治觉悟，能保障不侵犯民众利益，而争取群众的信仰吗？

我们要反对上面两种不正确的倾向，我们主张：

（一）利用一切可能利用的时间，进行教育训练，培养具备高度政治觉悟与军事素养的良好战士。

（二）没有时间可以利用，也只有从斗争中去学习。不要以单纯的军事眼光，忽视游击队在政治上的伟大作用。要坚定自己的胜利信心，反对对自己力量估计不足的错误观念。

现在我们在这里简单的把游击队训练的特点说一说吧：

（一）游击队的生长，是在敌人的武力镇压下奋斗着，他的周围都是凶恶的敌人，不容许游击队在一个地区固定的训练，更不容许有悠久的时间。

因为没有悠长的时间，所以在形式教练上就只得废除或者到极次的位置，反过来说，也就是要以单个战斗教练为中心。

（二）游击队内有的是工人，有的是农民，有的是学生……程度是参差不齐的，当然接受的程度也不一致，这里就需要将某种特殊技能的人，给以适当的课外各别教育，——按照每个不相同的特质，给以不相同的教育。

普通一般的游击队的教育，那应该不管他程度的高低，都要求得水平进展。

（三）游击队因为他不断的战斗，所以消耗很大，同时新队员的补充也很大，这样就成了一种对流的性质。

以对流性质的部队实施有计划的训练，事实上是不可能的，为要补充这个缺点，只有建立良好的学习作风，区分老队员教授新队员的办法。

（四）因为他是没有一天离开了战斗的环境，所以他的教育方法也不能离开实践环境。譬如：现在要由甲地到乙地去，这就需要行军，行军中要作些什么事呢？按实战的需要，来确定他。并且把行军前的准备，行军中的注意，到达宿营地后的动作，首先来一个简单讲解，以后再作一次结论。这样使队员从实际的动作中，来理解这些实际的问题，来反映理论的正确。

譬如：袭击敌人，可以将某些不致暴露自己企图的情况宣布，当作实际的教材，让队员们首先去讨论和争论。到一定的时间，再把你的原定计划告诉他，证明他自己的决心和判断的正确与否，处置的妥当与否。

战斗后要开战斗总结会，检查这一次战斗中的优缺点，将这些优缺点记载下来，作为以后教育的目标。向着我们自己的缺点虚心自省，研究怎样克服办法；向着我们优点，去深刻研究，以什么方法来保持与发扬。

（五）技术教练是新战士教育的中心内容，必须使每一个新战士在短期的训练中，都能达到善于使用自己的武器——枪，刀，矛，手榴弹——并且相信此种武器确能战胜敌人。

（六）要针对着对日作战的战略，战术原则。我们要知道日本帝国主义是穷凶极恶的敌人，他拥用强大的军队，现代化的武器，我们不应该轻视他，应该精细的虚心的去研究敌人的一切战略战术原则，窥破其特长与弱点，并根据我们战略战术及技术物质条件，研究其应付的方法。

养成每一个战士都能在上级官长意图下，很灵活的动作，有单独作战的能力与胆量，有单独支撑危局的决心与毅力。

要估计到我们的技术条件落后于敌人，要以劣势的技术条件，战胜高度技术的敌人，则更要求灵活的运用我们新的战术与战略。因此在军事教育上，要养成善于小规模战斗，能胜任大规模战斗的战士。

第二节　对教授者的要求与对队员的要求

（一）每个教授人员对于任何一个教育课目的实施，应有充分的教育准备，或以支队或以大队召开教育准备会议，讨论这个课目的内容，着眼点，教育方法。

这一准备工作，不尽是开一个教育准备会规定内容与方法，并且事先要选择教育适当场所，拟定适当的想定，和必要的教育设备。

这种充分准备，一方面是给队员们以良好的教育收获，促成其迅速的进步，一方面加强了干部在理论上的学习。

（二）每个教授人员，必须讲究一切方法，使自己的教授内容深入到战士的脑海中去，应多从积极方面提高队员的学习积极性，多用启发与诱导的方法，要细心耐烦的教育，对新队员所提出的一切问题，要具体明确的解答。自己教育的态度要庄严，不要遇事嬉笑暴躁，要诚恳，不刻薄，要温和，不怕琐碎，要深入群众，了解群众的情形，要与群众融合一片。

（三）建立健全的教育检查工作。各大队应及时召集教育会议检查每个战士接受的程度与困难，总结一时期的教育成绩与缺点，检查教育方法与方式，以求得教育的进步。对于课外教育组织，亦必须加以切实的指导，与每日的检查，增进其效力。

（四）一切训练的课目，尽量求得讲与作联系起来，就是说不是单独在课堂上讲授，而是一面讲授课目的内容，同时就在实地演习，这一办法，最能将理论与实际配合起来，并且容易记忆和了解。

（五）每个教育的干队都必须有紧张严肃的教育作风，彻底的教育责任心，不依赖上级的指导，而能想出一些教育上的良好办法，灵活的进行教育，收得事半功倍之效。

对新队员的要求，大概可以分为三个时期，每一个月为一个时期，第一个月中要求达到：

A. 射击精确；

B. 手榴弹能及远命中目标；

C. 刺杀熟练；

D. 利用地形确实。

第二个月中要求达到：

A. 单个战斗动作全部纯熟；

B. 游击队的基本动作的熟练；（埋伏袭击等。）

C. 军队生活的养成；

D. 夜间战斗动作。（单个和班的动作。）

第三个月中要求达到：

A. 游击动作的全部熟习；

B. 夜间战斗的班排动作；

C. 正规战斗之一部；（班排。）

D. 其他。（如防空防毒等。）

时间的分配不能以固定的周次计算，也不能以小时计算。大约军事时间占 60%，政治时间占 40%。

<table>
<tr><th>课目</th><th>研究内容</th><th>周次</th><th>时间</th><th>次数</th><th>附言</th></tr>
<tr><td>单个战士教练</td><td>利用地形
运动与射击
目测距离
地形识别</td><td rowspan="4">第一、二、三、四周</td><td rowspan="4">共计 48 小时</td><td rowspan="4">共计 24 次</td><td rowspan="4">1. 本表只将游击队几个主要的动作列入，还有很多没有列入的，请各教授者自行拟定。
2. 本计划教育重心，在游击战术，单个战士教练，射击教练，技术教练，夜间班排战斗。
3. 本计划没有区分学科与术科，意思是学术科连紧实施，时间亦未确定，希教者抓紧教育的重心，不要平均分配时间，按当时的迫切需要灵活的区分。</td></tr>
<tr><td>射击</td><td>射击姿势
瞄准击发
瞄准检查击发检查
步枪拆装与保管
一部分的射击学原理</td></tr>
<tr><td>手榴弹</td><td>手榴弹的构造及其使用
手榴弹的投掷</td></tr>
<tr><td>刺杀</td><td>刺枪
劈刀
技术（包括爬山、跑步）</td></tr>
</table>

续表

单个战士动作	利用地形 侦查员 步哨员 距离测量 联络	第五、六、七、八周	共计48小时	共计24次	4. 政治课目未另列表分配，其内容不外对新队员加紧对抗战胜利前途，民族统一战线的认识与具体运用，帝国主义与中国，为什么要打倒日本帝国主义，为什么要联合弱小民族，那些国家是我们的朋友，那些国家是我们的敌人，居民工作怎样做，本军政治工作怎样做，敌军工作怎样做。
游击队基本动作	埋伏 袭击 破坏 扰乱				
军队生活	纪律条令 内务条令 军队礼节 管理				
战斗	紧急集合 着装法 方位判定 视听力的养成 步哨 侦查 行军 宿营 联络 10. 班的战斗（进攻）				
游击战斗全部	侦查 警戒 行军 宿营 遭遇 退出 袭击 埋伏 破坏	第九、十、十一、十二周	共计48小时	共计24次	

续表

正规战斗	班的进攻防御 排的进攻防御退出				
夜间战斗	班的攻防 排的攻防 军士哨 小哨 游击动作				
其他	防空防毒 工事伪装 联合兵种战斗				

附　录

抗战经验

林　彪

以下是我对过去抗战经验的一些简单意见，写出来贡献于我全国抗日的同胞，藉供研究与采择。

（一）敌系采外线作战原则，采分路进击办法。敌步兵本不及我军之勇敢，所赖者，惟重武器与高武器。我军此种武器较敌诚少，战略上应自觉的居于内线作战地位，认真的采取集中的主力，实行各个击破的运动战法，在决战的战役上，彻底集中兵力及武器，集中数十架飞机，数十百门大炮，猛攻敌之一路而歼之。胜利后应速转移兵力及飞机大炮，以突击他路之侧后。设有时不及转移甲处步兵至乙处参战时，至少亦须将暂不企图与敌决战诸点之飞机大炮（以汽车火车运输）彻底集中于企图与敌决战之方面。如华北方面，可自某日起某日止三天或五天内，将华北全部飞机甚至武汉一带之飞机，统向企图与敌决战之点进行轰炸，援助该方面之军队歼灭敌人。

（二）我兵不应分散兵力处处防御，不应该纵横数百里之防线。盖如此则处处工事不坚，处处兵力薄弱，处处均易为敌突破。敌军攻时，往往集中兵力，攻我一点。我军如处处守则必处处不能守，我军如设横宽阵线，被敌突破一点，我全线即有混乱溃退之虞。故我军只应在敌始终必经之要线上选纵深之敌点，各利用良好地形，构筑最坚固之工事，以少数精兵，配备充分粮弹，进行充分死守阵地之政治鼓动，与宣布严格之战斗纪律，作固守数月之想。我主力则控制于待机位置，待敌进攻我阵地未下时，或在我阵地侧面绕过时而猛攻之，这就是攻击与防御联系起来，亦即攻击防御。

（三）敌甚骄惰，行军驻军中之警戒均甚疏忽，且少做工事，我军如乘敌在行军中，待其行至不利敌之地形，以我军之一部，钳制其先头，以我主力猛袭其侧后，或乘敌初到一地尚未站稳脚跟时，猛攻之。

（四）敌步兵攻击精神甚差，服装也笨重，脚穿皮鞋颇不惯爬山，战斗时主要依靠飞机大炮，坦克车，我军须利用敌通过山地之机会，或诱敌进入山地战而歼灭之，因山地作战，敌步兵不会抢山，飞机大炮骑兵之作用均大大减少，甚至全无作用。

（五）敌大军所需粮弹，统由日本运来，我军对敌须一面坚壁清野，同时派多数游击队，各附小电台，在敌运输线上，进行袭击断绝其粮弹车辆之运输，与毁坏汽车路铁路等，我军应将正规战与游击战配合起来。

（六）敌攻击精神虽不行，但因恐被俘后加以残杀，敌虽溃败，仍不肯缴枪，使战斗不易短时结束。我军于战斗中各部须控制必要之预备队，藉以在解决败敌后应付新的变化。

（七）战斗须以“秘密”、“迅速”之动作，切实接近敌人，实施猛烈之冲锋，冲入敌间隙内，进行肉搏战，盖我军一与敌步兵相接，则敌之飞机大炮统失去作用。此为进攻战斗时避免敌飞机大炮及我军飞机大炮不足时之良好战斗法。

（八）我军各级干部及所有士兵，均应有独立作战之精神与动作，战斗时队形须疏散而有纵深，不可太过密集而招致过分之伤亡。

（九）夜战中敌之飞机大炮坦克骑兵几无作用，敌官兵均无作战经验，故我军应极力利用夜战歼灭敌人。在有光之夜，可进行大规模之夜战，在有星光之夜，可进行小规模之夜战，在黑夜可进行扰敌之夜战。更须将夜间作战与日间作战互相配合，日间须扩张夜战之成果。

（十）我军须学会做坚固工事与精确射击技能，以坚固工事掩护，减少伤亡与保持阵地，以精确射击之技能大量杀伤敌人。敌攻击精神甚差，每于攻进我阵地前数十米达处时，如我不退，敌每亦数小时不进不退，此时更便于我之射杀，如我更以小部出击，则顿挫于我阵地前之敌，必立即溃退。手榴弹是敌甚怕之武器，我军宜多带多用，更须人人会用。

（十一）敌服装有保护色，战斗时多采疏散开张，敌甚肃静，敌不爱登山，故敌人目标常隐蔽，我军战斗前须注意弄清敌情，在敌情不明时，不可冒险决定战斗部署与动作。

（十二）敌军虽败，虽伤，虽散而仍坚不缴枪者，并非勇敢坚决，乃怕我军将其活捉后杀之之故。平型关之战斗，敌虽负伤仍以刀枪杀我，非死不肯缴枪，战后我军获敌日记信件甚多，内容均为想家想妻，均无自愿作战之精神，其来华作战系迫于国家法令。我因此在平型关战后令步队学习“不杀日军俘虏”、“优待日军俘虏”、“医治日军伤员”等三句日语喊话，十一月四日正太路南广阳战斗时，我大部官兵仍尚未学会此三句日语，仅少数官兵学会能喊，但此数目人喊话结果，即生俘日军一部。如此可见日军不难以政治宣传瓦解之，今后对日官兵必须进行宣传，对俘虏必须优待。

（十三）平型关之战，我军隐蔽于敌进道路之侧，距敌约三十里至六十里，时间达一星期之久。在群众掩护下，我军目标敌全不知，敌之汉奸也失其作用，而我友军某部之配备，敌则全明。我军战后胜利品伤兵均借群众之力搬运，我军虽在山地亦能购得食物，该地一带原已逃走之群众均回家来，可见部队纪律及进行群众工作之重要，若说到长期抗战人力物力之补充，对敌坚壁清野，其发动游击战争则更无论矣。

（十四）敌射击相当准确，队形疏散能作分散战，敌战术，就是日本“战斗纲要”上的那一套，其动作常可事先猜到，新的创造与机变则不见有，其牺牲吃苦精神及作战经验，均远不及我们。

（十五）敌在占领线以内，极力培植伪政权与伪军，我军应派出许多游击队深入敌占领线内之广大区域，纵横游击，牵制与削弱大敌，消灭与驱逐小敌，收复失地，破坏伪组织，动员群众帮助政府与军队抗战，收容溃散官兵，使之继续抗战，免其流落为匪与被敌利用。须知敌如果不培植汉奸力量作为工具，则实无法统治下去，要想收捐税，做生意，逮捕抗日分子，都是不可能的。

游击战争战术上的基本方针

郭化若

游击战争是群众性的特殊形式的战争，因此它需要广泛地发动群众。失了群众，则游击战争不但不能发展与胜利，也将不能生存。发动群众，组织群众，武装群众，联络群众，倚靠群众，帮助群众，爱护群众利益，是游击战争最基本的原则之一。但要取得群众拥护，并领导群众，不做群众的尾巴，就要严格地执行政治纪律，坚决地正确地执行抗日民族统一战线政策。游击战争的另一基本原则，就是军事上的主动灵活与积极。在这里我们只把游击战争的在军事方面的方针，也就是游击战争的战术方面，提出来研究一番。

"灵活"、"主动"、"积极"是游击战争战术原则的出发点。"灵活"就是声东击西，出没无常，使得"游"

则敌不知我去向,“击”则敌不知我会来，所谓打仗巧妙，就是避实击虚，避强攻弱，能进能退，速战速决，吃得下就吃，吃不下就走，这样不打则已，打则多胜，能做到这样，虽有时受点挫折，也不会吃大亏折大本。

“主动”或“争取主动地位”，这是一切军事指挥员都知道，都能说的，但不见得个个能做到，这倒于游击部队却特别重要。怎样才能取得主动地位呢？首先应该察明情况，知道敌人的内情，并有正确的判断。如果情况不明，则“瞎子摸鱼”不但做不到，反会把自己脑袋碰到石头上去。第二，要着眼于发觉敌人的弱点，抓住袭击的时机，取得群众的帮助，发扬自己的长处，来打击敌人，以展开于自己有利活动的环境。第三，敌人通常是占优势的，且对游击队采取进攻的，因此应特别注意，不要被敌人所指挥，而要指挥敌人。在于敌有利，于已有损的情况下，敌人要在今天打，我却偏不在今天打，敌人要在这里打，我却偏不在这里打，敌人要用他这一部队来打，我却偏不向这一部队打。在相反的情况则于敌有损，于我有利的情况下，例如敌人没有准备在今天打，没有准备在这里打，不愿意使用这部队和我们打，我们却偏要在今天，在这里打这一部队。第四，如果敌人很谨慎，还没有暴露它的弱点于我们，则我们应该造成敌人的弱点，促使敌人发生过失，这也就是要指挥敌人，调动其部队或混乱其部署，使陷于情势不利与地形不利的条件下，挨我们的打。造成敌人的弱点很多，例如声东击西，围城打援，故意退却，利诱之，激怒之等等，不过总要事先明确知道敌人的战术和行动的惯例。而在这造成敌人弱点的过程中，——敌我对拗的过程中，必须谨慎秘密，不让敌人知道自己的企图，必须忍耐不受敌人的引诱与激动，不受部下浅见的建议，或人民欠当的舆论所动摇，不图一时的痛快，是非常重要的，特别是在坚持的长期的艰苦的游击战争中。

举个东北义勇军某支队调动敌人的例子来说吧。

在北宁路的某个车站上驻有日军一个连，都住在铁甲车上，铁甲车厢有二十多节，两头都有机关车（火车头）挂着，车内架有机关枪和山炮。这个车站东七十里处有一个大市镇，驻有日军一个营，筑有坚固工事。再往东约一百四十里处有一城市，驻日军一师团，有飞机场。日军火车行动前，一定先由侦察机，侦察过铁路的情形，然后才敢前进。日军炮兵是依着侦察机指示的目标而射击的。这样的布置显然是无隙可乘，无暇可攻的，××骑兵游击队约三百余人，每人最少一支枪，有的两支（一长一短），分三大队，战斗情绪很高，战斗力颇强，窥伺这个敌人很久了。有一天车站上的日军派了二十余人到该站西南约五百码的一个村落内驻扎，当天就构造了一些工事。骑兵游击支队马上计议好了消灭日军的计划，当晚派出一大队去袭击该村，其余的各受任务分散埋伏。这一袭击胜利了，把日军打退出该村，（退回车站去了。）然而游击队也于夜间离开了该村。第二天拂晓时，日本飞机来了，侦察了铁路后，给予车站上的日军以信号以后飞去。于是车站上的铁甲车出动了，向西开来，到该村附近时，连向该村发炮乱打，但是村内连老百姓也没有一个。第二次日本飞机飞来先向该村投了两个炸弹，又打了几个圈子，发现了在该村再西（稍稍偏北）三四里处，森林内有游击队的旗子半露着，森林边上又隐约地露出一两匹白马，于是日机又给铁甲车来以信号。铁甲车就再向西边开去，好像打算要去炮击森林内的游击队，但却正好中了游击队的计，车还未到森林附近，前面车头和两三节车早跑出铁轨了。日军似乎很乖觉地知道中计，马上弃了出轨倒下的车辆，用后面的车头，拖起其余大部的车厢，向后没命地跑去。不幸还未到车站，轰的一声，铁轨下炸药爆发，把残余的车辆，也都抛出铁轨，倒在地下。游击队的一部由车站北边前进了，来收拾倒卧的火车内的日军。正在这个时候，通讯联络灵敏的日军，在七十里外大市镇内的一营人，开来增援了，这一部分的游击队就靠着车站抵抗。日军正在开展攻击时，侧面大批的游击队骑在马上威风凛凛地飞跑而来，只吓的日军胆战心惊，以为飞将军从天而下，枪也不会打了，队形也乱了，在游击队两面夹攻下，全部被消灭个干净。

这个例子说明了调动敌军办法的一斑。至于最近八路军在晋北的战斗，则多是利用日寇疯狂般的进攻前进中，及其对我抗日友军阵地攻击时，给以打击而取得胜利的。总而言之，应利用和造成敌军陷于形势不利，或地形不利的机会（例如敌军在隘路中运动时，向友军攻击而暴露其侧后时，溃退时，行进中警戒疏忽时……）而给以坚决的打击。

“积极”是“争取主动”不可缺少的条件，有机会可以打就要打，屡次失良机，必然造成恶劣的环境使游击队陷于被动地位。

过去最风行而有名的十六字诀，即“敌进我退”、“敌驻我扰”、“敌疲我打”、“敌退我进”是转变敌我形势争取主动地位的战术，也是游击战术的骨干。这是说当优势敌人有计划的进攻时，或对进攻之敌情况不明时，或我军尚无必要准备时，游击队暂时还无法打胜敌人，这时为免陷于被动与吃亏，应该应用这个战术。这个战术本身是积极的，不是消极的。如果进攻之敌并非优势（指整个进攻之敌之一部，非谓敌之全部不是优势，全部优势，但一部非优势，即可以消灭他）并且情况已经明了，我军已有准备，则无先退后打之必要，自可代之以“敌进我打”。驻止之敌也是一样，如果并非优势，情况已明，我军又已准备好了，再加敌方尚无坚固工事与严密警戒，自然也应该打他，而不仅限于扰乱他。总之游击战争，必须是积极的。消极的或专门防御的，等待挨打的，游击部队必然不能取得胜利，时有吃亏的危险。游击战争的战术以攻击为原则，防御不是一般的原则，而攻击以从敌人运动中及敌人初到立脚未定时，施以突然袭击为原则，阵地攻击不是一般的原则。这些都是表示“积极”这个方针是具体战术方面的东西。

凡事有一定的界限，战术亦然。当讲灵活时，不能弄到乱动；当讲主动积极时，不能弄得冒险蛮冲。这是要严格指明的。

为了实现上述方针，首先必须取得群众的帮助，广泛地布置情报网，使敌人一举一动都能迅速知道。并随时搜集情报，研究敌军的战术，随时都要注意自己的行动踪迹，不被敌人知道，随时注意有无敌方间谍混进自己活动的地区中，及自己部队中随时都应明了自己周围，以至整个活动地区的地形道路。（远的要知道个大概，近的更要详细知道。）为了达到这个目的，应该尽量寻找地图，（军用地图各县舆图等。）及随时自绘“路线图”，在选择袭击目标时，应该避免打兵力过大或警戒严密的敌人，而找比较孤立的兵力不大的，警戒疏忽的敌人打。战斗前应该察明情况，正确地判断情况，要把所有的一切情报材料，加以分别整理，除去琐碎的，提出重要的，除去虚伪的，提出真实的，来个系统地研究。不但研究当前的敌情，还要研究最近将来的敌情可能的变化。然后，加上地形条件，居民情况，自己部队的情况等，这样构成“情况判断”，根据这样的判断，定下决心，作出行动或战斗计划。这里应特别注意，对敌人的估计，应对敌人的整个力量作正确的充分的估计，应足够地估计敌人力量的强度，同时也要足够地估计到敌人的困难，敌人内部的矛盾。不要把敌人看成死的，应看它到底可能的行动，应根据具体条件，估计敌人的可能采取的新的办法。对自己也应有正确的估计，决不可过分小看了自己的力量，但也不可过分夸大自己的力量。不要总是采取一套老办法，而更求进步，用更高明的办法，对付敌人。夸大敌人，小看自己，将失去胜利的机会，甚至形成悲观失望退却逃跑的心理；相反，夸大自己小看敌人，便将冒险蛮干，招致失利。在战斗前一切准备工作应该审慎和秘密，动作时却要神速敏捷。在和敌人接战时，不可固执原来计划，应该根据新的情况，修正预想计划，有利则坚决攻击，否则临时撤退。至于行军多走小路，宿营不住大村，（指小游击队，当敌情紧张时。）居无常处（如常处一地则游击队将成为敌人的靶子），以防敌袭。少走老路，以防敌伏。利用群众多放耳目，也都是游击队所当注意的。

游击战争也和其他东西一样是发展的，敌人的战术会在战争过程中进步的，我们必须更加进步。游击战争是整个抗日战争中的一种战争形式，他将辅助其他战争形式给日寇以严重的打击，最后战胜日本帝国主义。

我们在敌人后方的战术的应用

刘伯承

（一）这次的战斗是游击队自卫队与基干军队三个因素配合的动作，就其作用来说，像打人的手一样，游击队就是筋，自卫队就是肉，基干军队就是骨，这也就是运动战与游击战混合采用法。

（二）这种混合采用法是有利的。但混合采用法不要限此一种，也有因某一因素，发展的先后不同，或单独采用的，或先后参差采用的。无论怎样采用，想要求主动机敏大踏步的前进或后退，力求消磨或消灭敌人，锻炼与壮大本身，使持久战中转到抗战的地位，切不可限于一定序列与方式，甚至被动呆板，反被敌人消磨或消灭。敌人常转移兵力，突击某一方，我们基干军队更应主动机敏，大踏步的前进或后退，与友军相呼应。

（三）游击队的部置，要以三五个游击队（每一个队二十至五十人不等），分遣在能互相呼应的地域，不断的伏击袭击敌人，破坏其交通辎重侦察敌情。另以一个基干游击队（一百至二百人）辗转活动于各地域，以配合各游击队，加强其各种动作，特别是猛击敌人。各地域的间谍网通讯网，都要依靠地方民众健全起来，以便于自己游击，并把情况转报到基干游击队和基干军队，以便他们适应时机，抓到游击队所造成的敌人弱点，来配合发扬游击战争的威力。游击队本无所谓前方后方，要靠自己的行动秘密，诡诈、机警、灵动、出没无定，严密警戒，肃清敌探，使敌摸不着头脑，无以袭击我们，也无从防御我们去袭击。如老住一地，就要遭敌人的袭击，老走一路，就要遭敌人的伏击。游击队在敌人翼侧活动，特别在敌人撤退时的伏击袭击，破坏交通，对于配合基干军队作战有很大的意义。

（四）自卫队察报敌情，实行抗日戒严，铲除汉奸，肃清间谍，封锁消息，实行清野，搬藏粮食财物，挖毁道路，安设地雷，来迟阻敌人骑兵炮兵装甲车队及步兵的运动。并伏击袭击敌人，设置疑兵，扰乱疲惫敌人，以及遂行后方勤务，如采集粮柴，救护伤员等，都是配合基干军队的实际办法。特别是肃清汉奸间谍，使敌人成为聋子瞎子；实行清野，粮人一空，使敌人穷困无靠处，是有很大的作战意义。这要靠基干军队，抓住自卫队游击队的指示系统，给以不断的指导才行。

（五）基干军队通常也是隐蔽灵动，最好适时移到地形或民众可资掩护的机动地位，派出小部队领导游击队自卫队活动，造成或窥破敌人的弱点。在有胜利把握时，周密布置，由主动地位，施以突然果敢坚决干脆的袭击或伏击。当敌人几路来攻时，要抓住他的外翼侧支队，或其他策应不灵的支队，给以各种击破或消灭其一个支队。不可久住一地，易于敌人分路合击，不可留恋靠不住的胜利，或被敌人有备留守兵所吸收转到被动地位，甚至陷于敌人马蹄阵内。在战斗时才发现无胜利把握时，也应退出战斗，不应与敌人作相持不下的阵地战。

我们要利用地形，或夜间隐蔽，接近在运动或停止间之敌，施以火力与突击会合的突然袭击。要做到敌人炮兵还没放列，骑兵还没上马，机关枪还没开火，一下子就被我们解决，这才算袭击的高手。如果敌人在展开，火网已经构成，而后硬攻，甚至采用无目的的防御，那是绝对不应该的。

对于敌人翼侧支队或其策应的支队，应估计和察明其经过的道路，并运用游击自卫队，破坏某一路或示弱引退，诱敌人来追，以便基干军队实行伏击。

我们部队袭击伏击以及破毁道路辎重，都要详细周到的计划，突然坚决的实行，使每一次都得到相当的或小的胜利，这在开展游击战争有很大的意义。

每次宿营，都要估计和防止可能来袭击的敌情，定出反袭来敌，或移动他处的计划。宿营地点要选在隐蔽通达的地形，民运开展的地点。最好在黄昏突然进入宿营地，封锁消息，严密警戒，山地和沟底都要警戒起来，并派便衣队侦探及潜伏哨在警戒线前面。

（六）协同政府抚恤阵亡和被难的同胞，抓住日本的强盗残暴行为，揭破他的一切欺骗，及宣传我们这次的胜利，来提高民众抗战的坚持性与自信心。

（七）我们瓦解敌军——日本满蒙士兵的宣传品，先要了解他们政治经济的状况，从他们心坎中写出极扼要简单能解决其问题的词句。冗长无重心，则使他们无心看，无时间看。用敌人本国话喊的口号，要普遍起来！

论平地游击战

萧　克

在华北几个月的游击战中，我们善于利用山地及过去的经验，得到了很大的成绩，使敌人侧后方遭到严重的威力，在阻止敌人继续向晋南前进的企图上，起了它应有的作用。晋、察、冀游击战争的发展在华北战线上起到了部分的战略作用，引起了敌人某些战役布置上的变化。

可是有人发出这样的疑问，如果不是山地，是不是会有这样大的成绩？是不是也可以进行游击战争？

我们以为，如果不是山地，虽不能说一定会有这样大的成绩，但不能说没有取得成绩的可能；如果不是山地，并不是不能进行游击战争。

如果将山地游击战与平地游击战比较起来那当然是

山地容易些。因为山地易于扼制敌人，易于隐蔽，易于袭击敌人，易于脱离敌人，同时敌人不能发扬技术兵器，不能运用大兵团。平地则不然，没有山地那样优越的条件。但是，这些条件，只能决定某种游击战比较容易的问题，而不能决定游击战争能否发展的问题。

有人说，在我们现在低劣的物质条件下，在敌人优越的技术兵器活动下，要避免敌人的长处，补救自己的短处，只有进行山地游击战，如果进行平地游击战，正是用我们的短处去对付敌人的长处，是不应该的。我们承认，进行山地游击战是最好的避免敌人的长处，补救自己短处的方法。可是，凶残的敌人，他不会只进攻山地，而不进攻平地。正因为在平地能高度发挥他的技术，他特别选着平地交通要道大城市来进攻。广灵灵邱娘子关一带山地，敌人固然要进攻，平津河北淞沪一带大平原敌人也要攻来。因此凡是敌人来的地方，我们都应该发展游击战争。最近事实的证明，山地固然有更顺利的条件进行游击战，平地却也可能。沧石线南的平地中，许多居民武装起来，他们在日本强盗的进攻下，不但是保存了自己的力量，而且缴了日本军的许多武装。任县的游击队，还缴到敌人的平射炮，发展了自己的力量。这是从平地产生的武装游击队。同蒲路上之原平崞县间之班村小原一带，是很平坦的，游击队袭击敌人，当然要困难些，可是依然取得了不少的胜利。特别有一次值得称赞的，因为屡次的袭击敌人，敌人注意了，所以对于两侧的搜索警戒，异常严密。那时正在下雪，游击队很难在道旁伏击敌人。可是他们创造了新的方法，他们在夜间进入到埋伏的地区，乘夜掘壕，拂晓前搬着附近的雪铺在新土上面，队员隐伏壕内，除了他们自己以外，谁都不知道。等到敌人汽车来了，侦察车先来过，只见两旁一片白雪，无踪无影大胆的过去了。后面的汽车，一拥而来，游击队从壕内奋勇而出，猛然突击，敌人车辆大部击毁，他们取得了完全的胜利。以后他们掉换地区，用同样的方法去打，成功的次数总是多些。队员们于是得出了这样的结论："山地打游击固然是好，平地亦未尝不能成功。"他们原来不敢轻易下平地，现在却在平地纵横驰骋，不算是特别的了。

又有人说，我们过去有丰富的山地游击战的经验，现在，应充分的利用山地，不要轻易下平地才好。我们以为前一句话是对的，后一句话则不适当。山地固然应充分利用，平地也要大胆下去才好。我们过去有丰富的山地游击战争经验，是因为产生在南方，有山可以利用，因为有这样的客观环境，才能使我们在这一方面的经验丰富起来，但完全不能证明我们只能进行山地游击战，而不能进行平地游击战。现在在北方，也有一些地区，在客观上有山地能够给我们利用，我们当然要充分的利用，但不能只利用北方现在的山，而不利用平原去开展游击战争。

又有人说，平地敌人可以发挥高度的技术兵器——如飞机，坦克车，装甲车，大炮等，游击队只凭自己两条腿，最多四条腿（骑兵游击队），怎样能和敌人的机械化军队争胜负呢？这种说法虽有片面理由，然而不免有点书生气味。

第一，游击战是对正规战来说的。他的兵力与兵器的配合是不全的，不大的，作战战线是不固定的，战斗多数是不正规的。他有最高度的机动性，灵活巧妙，去战胜敌人，避免敌人的长处，抓着敌人的弱点，发挥自己的长处避免自己的弱点，所以无论在任何时机，都是站在主动的地位，动作差不多都是进攻的。我们难道不会发挥自己的长处——袭击夜战，避免自己的弱点——防御火力战等，在敌人的长处——技术兵器失去作用时（如雨天夜时），抓住敌人的弱点（如阳明堡黑夜焚毁飞机场），或创造敌人的弱点吗？（如埋地雷破坏道路桥梁等。）

第二，敌军兵力虽有相当大的数目，但大部集中使用于正规战，敌人占领中国广大地区，没有丝毫可能把所有的城市乡村分兵驻扎，更没有可能把技术兵器拨出大部来对付游击战争，如果真能在敌人所有占领的区域，发动了游击战争，那么，敌人把所有进攻中国的军队来对付，恐怕也还会感觉不够。如果敌人真是这样干，那么便更有利于我正规军的作战。正规军作战的顺利，同样又利于游击战争的发展。

第三，所谓平地地形，不是如一面镜子那样平。平地有河流，有小沟，有堤坝，有小土坡，有倾斜面，有隙地，森林，村庄等，装甲车坦克车不能通过或不易通过的区域。雨天及浮土，也难运动，黑夜一切技术兵种都大大的减少作用，假如不承认这一点，那就要产生一些不可想像的事。

我们以为发展平地游击战争，不但有上述的可能，而且有下述的必要：

第一，现在敌人占领的地区如东三省，河北，山东，京沪一带，都是广大的平原，也是物产最丰富，人口最多，文化最发达的地区，我们难道让敌人去蹂躏摧残吗？不！不！我们应该在那些地区发展广泛的游击战争，予侵略者以极大的危害，使侵略者不能统治下去。

第二，照彭德怀同志关于游击战争的定义来说，应该是群众战争，是群众直接参加抗战的最高形式。根据这个定义，那么，我们应该普遍发展游击战争，使成为广泛的群众运动，才能给敌人以更多的消耗，因此不能拿单纯的军事观念（如只以地形观念），来了解游击战争。只要发展成为广泛的群众运动，那里都可以发展游击战争，山地的群众武装起来可以发展成为游击战争，平地的群众武装起来也可以发展成为游击战争。因为游击战争的存在，基本上是寄存在群众运动上。周恩来同志把游击队和群众的关系比如鱼和水的关系一般，鱼在水中，必然活跃自如，离水自然死亡。反过来说，有水的地方可能会产生鱼，也就是说有群众运动的地方就可以产生游击战争。

根据前面所说，平地可以发展游击战争，而且应该发展！

目前全面抗战正在全国范围内发展着，游击战争也在逐渐发动起来——特别是华北，我们要抵抗敌人的军事进攻，除有计划进行正规战外，还需要更广泛的发展游击战争，实行扰乱敌人，分散敌人，疲劳敌人，坚壁清野，封锁消息，夺取武装或焚毁其仓库辎重，炸毁工厂铁道桥梁，断绝其交通，使敌人不能统治，不容易统治其所占领的区域，使敌人在占领的大城市中，受到四方八面的游击战争的包围，使敌人不能利用中国现有资源及开发新的资源来用于进攻中国的侵略战争，使我们的正规军能得着游击战争的配合，而更顺利的消灭敌人。这种游击战争的发展，是持久抗战中的主要手段之一。因此，我们的口号是：

发展广泛的游击战争！

发展平地游击战争！

三联经典文库第二辑简目

《游击战教程》　明凡 / 著

《游击战术纲要》　陶剑青 / 编著

《汪精卫卖国的理论与实践》　钱俊瑞 / 著

《抗战以来》　韬奋 / 著

《陕行纪实》　楚云 / 著

《随军散记》　沙汀 / 著

《被日寇囚系半载记》　王研石 / 著

《倭营历险记》　房沧浪 / 著

《活跃的新西北》　田影 / 编著

《保卫华北的游击战》　刘清扬　陈北鸥等 / 著

《徐州突围》　《徐州突围》编委会 / 编

《沦亡的平津》　长江　小方等 / 著

《淞沪火线上》　胡兰畦等 / 著

《瞻回东战场》　长江　罗平 / 著

《东线的撤退》　胡兰畦等 / 著

《抗战中的西北》　徐盈 / 著

《鲁闽风云》　徐盈等 / 著

《西线生活》　西北战地服务团集体创作

《中国解放区见闻》　［美］福尔曼著 / 朱进译

《全面抗战论》　潘汉年 / 著

《日本的间谍》　范士白自述 / 尊闻译

《日本大陆政策的真面目》　国难资料编辑社 / 编

《民众动员论》　李公朴 / 著

《中国外交史》　钱亦石 / 编著

《太平洋军事地理》　蒋震华 / 著

《世界经济地理讲话》　思慕 / 著

《列强军力论》　［德］马克斯 · 威纳尔著 / 宾符　仲持　梅益等译

《近代国际关系史》　张铁生 / 著

《太平洋现势手册》　沈志远　石啸冲 / 编著

《近代世界政治史》　钱亦石 / 著

《从战争到和平——一九四五年的世界政治》　乔木 / 著

《战后日本问题》　思慕 / 著

《最近一年间的国际动态（1946.7–1947.6)》　《东北日报》社 / 编

《论政党》　翟放 / 著

《法与宪法》　韩幽桐 / 编著

《中华民国宪法刍议》　罗家衡 / 著

《民主 · 宪法 · 人权——作之民》　费孝通 / 著

《宪法论初步》　潘念之 / 著

《对反民主的抗争》　韬奋 / 著

《农村改进的理论与实际》　江恒源 / 著

《上海产业与上海职工》(上下)　　朱邦兴　胡林阁　徐声 / 合编

《陶行知教育论文选辑》　　陶行知著 / 方与严编

《中国通货膨胀论》　　杨培新 / 著

《中国及其未完成的革命》　　H·普拉特著 / 蒋天佐译

《中国的建设问题与人的训练》　　卢作孚 / 著

《论中国特殊性及其他》　　艾思奇 / 著

《中国经济问题讲话》　　钱俊瑞　徐雪寒　王渔邨　姜君辰　骆耕漠 / 合著

《中国经济的道路》　　许涤新 / 著

《中国财政之病态及其批判》　　孙怀仁 / 著

《官僚资本论》　　许涤新 / 著

《五四运动之史的评价》　　陈端志 / 著

《中国通史简编》(上下)　　中国历史研究会　范文澜 / 主编

《论文学的工农兵方向——读〈在延安文艺座谈会上的讲话〉》　雪苇 / 著

《中国近代史(上编　第一分册)》　　武波 / 编著

《文学百题》　　傅东华 / 编

《中国史学之进化》　　周谷城 / 著

《论民族形式问题》　　胡风 / 著

《论批评》　　荃麟等 / 著

《中国史纲》(第一卷上下、第二卷上下)　　翦伯赞 / 著

《近代中国思想学说史》(1-4)　　侯外庐 / 著

《中国政治思想史》（上下）　吕振羽 / 著

《中国哲学史纲要》　向林冰 / 著

《中国政治史讲话》　钱亦石 / 著

《中国社会经济史纲》　王渔邨 / 著

《新财政学大纲》　千家驹 / 著

《太平天国革命运动论文集——金田起义百周年纪念》

华北大学历史研究室 / 编

《理性与自由——文化思想批评论文集》　胡绳 / 著

《战斗者的诗人》　黄药眠 / 著

《国语文法》　曹朴 / 著

《教育哲学》　张栗原 / 著

《妇女问题讲话》　杜君慧 / 著

《婚姻 · 子女 · 继承》　沙千里 / 著

《性教育新论》　布士克　雅各生合著 / 董秋斯译

《狱中杂感》　杜重远 / 著

《七人之狱》　沙千里 / 著

《爱迪生传》　伍况甫 / 译

《歌德自传》（上下）　歌德著 / 思慕译

《尼赫鲁自传》　［印度］尼赫鲁著 / 毕来译

《列宁传》　［苏］凯尔任采夫著 / 企程　朔望译

《罗斯福总统传》　C．Mackenzie 著 / 张尚之译

《托尔斯泰传》（1–3）　［英］阿尔麦 · 莫德著 / 徐迟译

《革命文豪高尔基》　［美］亚历山大・康恩著 / 韬奋编译

《鲁迅纪念特辑》　新中国文艺社 / 编

《回忆鲁迅先生》　萧红 / 著

《人民文豪鲁迅》　平心 / 著

《亡友鲁迅印象记》　许寿裳 / 著

《鲁迅思想研究》　何干之 / 著

《鲁迅研究》　夏征农 / 编

《过来的时代：鲁迅论及其他》　雪峰 / 著

《电影戏剧表演术》　洪深 / 著

《日常心理漫谈》　［美］约瑟夫・查斯特罗著 / 曾宝菡译

《心理常识漫话》　朱智贤　杨云美 / 著

《读书的方法与经验》　王任叔 / 著

《美国黑人生活纪实》　［美］加德维尔　斯坦倍克著 / 董秋斯译

《初访美国》　费孝通 / 著

《事业与成功》　［美］马尔腾著 / 汪原放译

《萍踪寄语（初集）》　韬奋 / 著

《一生的幸福前途——〈生活周刊〉信箱选集》　生活书店 / 编选

《深刻的印象》　生活周刊社 / 编

《海外的感受》　生活书店编译所 / 编

ISBN 978-7-108-04640-6
9 787108 046406 >
定价：38.00元